JOHANNES BRAHMS

EIN DEUTSCHES REQUIEM
A GERMAN REQUIEM

for 2 Soloists, Chorus and Orchestra (Organ ad lib.)
für 2 Solostimmen, Chor und Orchester (Orgel ad lib.)
from Words of the Holy Scripture
nach Worten der Heiligen Schrift
Op. 45

Ernst Eulenburg Ltd
London · Mainz · Madrid · New York · Paris · Prague · Tokyo · Toronto · Zürich

CONTENTS

Ernst Eulenburg Ltd
48 Great Marlborough Street
London W1F 7BB

PREFACE

It is doubtless to the universality of its utterance that Brahms' "German Requiem" owes its high place in choral literature. It is not a Requiem in the Roman Catholic sense, and Brahms prefixed the qualifying adjective "deutsches" as an indication that he was not employing the orthodox Latin text of the Requiem Mass. (He himself selected German texts freely from the Old and New Testaments, and from the Apocrypha.) It has been said, too, that Brahms would have liked to replace the word "German" with the word "Human".

Nor is the work a record of personal grief, in the manner of a Tchaikovsky, for example. Some say that Brahms wrote it as a tribute to Schumann, and Kalbeck believes that the idea of writing a "German Requiem" is traceable to that composer. Indeed, there is a bare indication, "A German Requiem", in Schumann's posthumously discovered "Book of Projects" although Schumann seems to have made no attempt to complete the project.

It was once believed, also, that the Requiem was written in memory of Brahms' mother, who died in 1865; and Brahms is recorded to have said that he was thinking of his mother when he wrote the fifth section, "Ihr habt nun Traurigkeit". This is the only one of the seven movements where Brahms refrains from episodes of impassioned outbursts of either joy or agitation, retaining a relatively sunny mood; and, as Joachim observed in a letter to Brahms, the tranquility here is necessary to the whole. Thus, whatever else may have motivated it, the need for contrast must, one suspects, have been an important factor in its addition after the six-movement form had already had its premiere in the Bremen Cathedral, on Good Friday, April 10, 1868, with Brahms conducting. Moreover, the composition of the Requiem was Brahms' chief occupation during the five years from 1862, i.e., before as well as after the death of his mother in 1865. Then, too, the second section, "Denn alles Fleisch, es ist wie Gras", is supposed to have been written even earlier, in the middle '50's, for a projected first symphony.

Siegfried Ochs relates that, in a conversation with Brahms, the composer made a sarcastic reference to a "well known Chorale" that could be found in the "first measures and in the second section" of the Requiem. Mr. Ochs has identified the Chorale as "Wer nur den lieben Gott läßt walten", which is suggested in Brahms' opening motive (where its mode is changed from minor to major), and at the words "Denn alles Fleisch" (p. 31; where the minor is retained but an alternate C-flat is interpolated, giving the dark character of the Phrygian mode).

The first three numbers of the Requiem were performed on December 1, 1867, under Herbeck in Vienna. The performance was a failure, but the Bremen premiere mentioned above was much more successful. The work was first performed in its entirety on February 18, 1869, under Reinecke, in Leipzig.

Anthony Bruno

VORWORT

Das Deutsche Requiem dürfte augenblicklich das am meisten aufgeführte aller neuzeitlichen, ja, wenn man von ganz wenigen Oratorien der Klassiker absieht, sämtlicher Chorwerke sein. Die Häufigkeit seines Erscheinens auf den Programmen unserer Gesangvereine verdankt es nicht allein der Bedeutung, die es, rein musikalisch betrachtet, im Gebiete der Chorliteratur besitzt, sondern sicherlich ebenso einem Zusammentreffen äußerer Umstände, die es einem großen Kreis der Sänger, wie auch der Zuhörer willkommen erscheinen lassen. Nicht zum mindesten spricht mit, dass das tief religiös empfundene und wirkende Werk keinerlei konfessionellen Einschlag aufweist, so dass es überall dahin passt, wo einer trauerfeierlichen Stimmung in Tönen Ausdruck verliehen werden soll. Weiterhin steht infolge des starken Versagens der meisten unserer heutigen Tonsetzer auf dem chorischen Gebiet in Betracht, dass wir unter einem bedenklichen Mangel an wertvollen neueren Chorwerken leiden, dass aber die wenigen vorhandenen zu schwierig und bezüglich der geforderten orchestralen Mittel zu anspruchsvoll sind, um für die Vereine kleineren und mittleren Formats überhaupt in Frage zu kommen. Das Deutsche Requiem aber bietet weder ungewöhnliche Schwierigkeiten, noch verlangt es eine größere instrumentale Besetzung als die in jeder mittelgroßen deutschen Stadt vorhandene. Nur, wer die Verhältnisse unserer Chorvereine genau kennt, vermag zu beurteilen, welchen Einfluss alles dies auf die Verbreitung eines Werkes hat. Freilich ist es nicht das Ausschlaggebende und das Deutsche Requiem würde es ebenso wenig zu einer hervorragenden Stellung im Musikleben gebracht haben, besäße es nicht innere Werte, die es über das hinausheben, was wir an Chormusik in den letzten Jahrzehnten als neu kennen gelernt haben.

Brahms soll das Werk gleichsam als ein Zeichen der Verehrung für seine in den sechziger Jahren des vorigen Jahrhunderts verstorbene Mutter geschrieben haben. Das wird im Allgemeinen so angenommen. Kalbeck, dessen nach mancher Hinsicht anfechtbares Brahmswerk da, wo es sich um sachliche Feststellungen handelt, auf die Anerkennung großer Zuverlässigkeit Anspruch erheben darf, widerspricht dem. Er glaubt, dass der Gedanke, ein „Deutsches Requiem“ zu schreiben, auf eine dahin gehende, unausgeführt gebliebene Absicht Robert Schumanns zurückzuführen sei, so dass das Brahmssche Werk, in seiner ursprünglichen Gestalt wenigstens, in keiner Beziehung zum Tode der Mutter stehe. Der nachkomponierte Satz, der im Requiem den fünften Teil bildet, ist allerdings wahrscheinlich dem Andenken der Mutter des Meisters gewidmet. Dagegen muss es doch zum mindesten als zweifelhaft angesehen werden, ob eine Reihe motivischer Einfälle, die eine ganz äußerliche Ähnlichkeit mit Schumannschen Themen besitzen, wirklich den Zweck und die Absicht bekunden, Robert Schumann eine Huldigung darzubringen. Wenn in dem Mittelteil des zweiten Satzes die Anfangsnoten von „Schlaf' nun und ruhe“ aus „Paradies und Peri“ vorkommen, die doch weiter nichts vorstellen als einen aufgelösten Dreiklang, so ist eine Beziehung zu Schumanns Werk schon durch die Verschiedenheit des textlichen Inhalts der beiden Stellen ausgeschlossen; und so geht es bei fast jedem Fall dieser Art.

Eine einzige, wenn auch nur unscharfe Anlehnung ist aber in dem Werk dennoch enthalten und zwar hat Brahms selbst das ausgesprochen. In einer Unterhaltung, bei der von der Verwendung des „Heil dir im Siegerkranz" am Anfang des Triumphliedes die Rede war, verwies Brahms auf das Deutsche Requiem. Auf meine Bemerkung, ich verstünde nicht, was er damit meine, antwortete er mir in seiner behäbigen, zugleich etwas sarkastischen Art: „Tja, wenn's keiner hört, schadet's nicht viel. In den ersten Takten und im zweiten Stück können Sie's finden. Es ist ein bekannter Choral." Nach diesem Hinweis war es leicht, der Sache auf den Grund zu kommen. Der Schlüssel zu dem Geheimnis liegt in den Noten des Anfangs:

Noch viel deutlicher tritt diese Anlehnung hervor bei der berühmten Stelle: „Denn alles Fleisch, es ist wie Gras."

Dieses musikalische Versteckspielen ist ur-brahmsisch, wenn es auch in letzter Linie auf den zurückzuführen ist, der für Brahms, wie wohl für jeden ernsten Musiker, den Höhepunkt im Reiche der Musik bedeutete, auf Johann Sebastian Bach. Da klingen verwandte Töne von der neuen zur alten Zeit zurück.

Das Deutsche Requiem hat ziemlich lange kämpfen müssen, bis es sich seine Stellung im Kunstleben gesichert hatte. Bei der ersten Aufführung der ersten drei Teile des damals noch nicht im vollen Umfang vorhandenen Werkes in Wien am 1. Dezember 1867 erlebten diese einen entschiedenen Misserfolg. Dann folgte Bremen mit mehr Glück, aber es fehlte noch der Satz Nr. 5 „Ihr habt nun Traurigkeit". Die erste Aufführung, bei der das Deutsche Requiem siebenteilig erschien, fand in Leipzig am 18. Februar 1869 statt.

Siegfried Ochs

A German Requiem

I

Blessed are they that mourn,
for they shall have comfort.
They that sow in tears
shall reap in joy.
Who goeth forth and weepeth,
and beareth precious seed,
shall doubtless return with rejoicing,
and bring his sheaves with him.

II

Behold, all flesh is as the grass,
and all the goodliness of man
is as the flower of grass;
for lo, the grass with'reth,
and the flower thereof decayeth.
Now, therefore, be patient, O my brethren,
unto the coming of Christ.
See how the husbandman waiteth
for the precious fruit of the earth,
and hath long patience for it, until he receive
the early rain and the latter rain.
So be ye patient.
Albeit the Lord's word endureth for evermore.
The redeemed of the Lord shall return again,
and come rejoicing unto Zion;
gladness, joy everlasting, joy upon their heads shall be;
joy and gladness, these shall be their portion,
and tears and sighing shall flee from them.

III

Lord, make me to know
the measure of my days on earth,
to consider my frailty
that I must perish.
Surely, all my days here are
as an handbreadth to Thee,
and my lifetime is as naught to Thee.
Verily, mankind walketh in a vain show,
and their best state is vanity.
Man passeth away like a shadow,
he is disquieted in vain,
he heapeth up riches,
and cannot tell who shall gather them.
Now, Lord, O, what do I wait for?
My hope is in Thee.
But the righteous souls are in the hand of God,
nor pain, nor grief shall nigh them come.

IV

How lovely is Thy dwelling place,
O Lord of Hosts!
For my soul, it longeth,
yea fainteth for the courts of the Lord;
my soul and body crieth out, yea,
for the living God.
O blest are they that dwell within Thy house;
they praise Thy name evermore!

V

Ye now are sorrowful,
howbeit ye shall again behold me,
and your heart shall be joyful,
and your joy no man taketh from you.
Yea, I will comfort you,
as one whom his own mother comforteth.
Look upon me;
ye know that for a little time
labor and sorrow were mine,
but at the last I have found comfort.

VI

Here on earth have we no continuing place,
howbeit, we seek one to come.
Lo, I unfold unto you a mystery.
We shall not all sleep when He cometh,
but we shall all be changed in a moment,
in a twinkling of an eye,
at the sound of the trumpet.
For the trumpet shall sound,
and the dead shall be raised incorruptible,
and all we shall be changed.
Then, what of old was written,
the same shall be brought to pass.
For death shall be swallowed in victory!
Death, O where is thy sting?
Grave, where is thy triumph?
Worthy art Thou to be praised, Lord
of honor and might,
for thou hast earth and heaven created,
and for Thy good pleasure all things have
their being,
and were created.

VII

Blessed are the dead
which die in the Lord
from henceforth.
Sayeth the spirit,
that they rest from their labors,
and that their works follow after them.

English Words by R. H. Benson

Ein deutsches Requiem

I

Selig sind, die da Leid tragen,
denn sie sollen getröstet werden.
Die mit Tränen säen,
werden mit Freuden ernten.
Sie gehen hin und weinen
und tragen edlen Samen
und kommen mit Freuden
und bringen ihre Garben.

II

Denn alles Fleisch, es ist wie Gras
und alle Herrlichkeit des Menschen
wie des Grases Blumen.
Das Gras ist verdorret
und die Blume abgefallen.
So seid nun geduldig, liebe Brüder,
bis auf die Zukunft des Herrn.
Siehe, ein Ackermann wartet
auf die köstliche Frucht der Erde
und ist geduldig darüber, bis er empfahe
den Morgenregen und Abendregen.
Denn alles Fleisch, es ist wie Gras
und alle Herrlichkeit des Menschen
wie des Grases Blumen.
Das Gras ist verdorret
und die Blume abgefallen.
Aber des Herrn Wort bleibet in Ewigkeit.
Die Erlöseten des Herrn werden wieder kommen
und gen Zion kommen mit Jauchzen;
ewige Freude wird über ihrem Haupte sein,
Freude und Wonne werden sie ergreifen,
und Schmerz und Seufzen wird weg müssen.

III

Herr, lehre doch mich,
daß ein Ende mit mir haben muß,
und mein Leben ein Ziel hat,
und ich davon muß.
Siehe, meine Tage sind
einer Hand breit vor dir,
und mein Leben ist wie nichts vor dir.
Ach, wie gar nichts sind alle Menschen,
die doch so sicher leben.
Sie gehen daher wie ein Schemen
und machen ihnen viel vergebliche Unruhe,
sie sammeln und wissen nicht,
wer es kriegen wird.
Nun, Herr, wes soll ich mich trösten?
Ich hoffe auf dich.
Der Gerechten Seelen sind in Gottes Hand,
und keine Qual rühret sie an.

IV

Wie lieblich sind deine Wohnungen,
Herr Zebaoth!
Meine Seele verlanget und sehnet sich
nach den Vorhöfen des Herrn;
mein Leib und Seele freuen sich
in dem lebendigen Gott.
Wohl denen, die in deinem Hause wohnen,
die loben dich immerdar.

V

Ihr habt nun Traurigkeit,
aber ich will euch wieder sehen,
und euer Herz soll sich freuen,
und eure Freude soll niemand von euch nehmen.
Sehet mich an:
Ich habe eine kleine Zeit
Mühe und Arbeit gehabt
und habe großen Trost funden.
Ich will euch trösten,
wie einen seine Mutter tröstet.

VI

Denn wir haben hie keine bleibende Statt,
sondern die zukünftige suchen wir.
Siehe, ich sage euch ein Geheimnis:
Wir werden nicht alle entschlafen,
wir werden aber alle verwandelt werden;
und dasselbige plötzlich, in einem Augenblick,
zu der Zeit der letzten Posaune.
Denn es wird die Posaune schallen,
und die Toten werden auferstehen unverweslich,
und wir werden verwandelt werden.
Dann wird erfüllet werden
das Wort, das geschrieben steht:
Der Tod ist verschlungen in den Sieg.
Tod, wo ist dein Stachel?
Hölle, wo ist dein Sieg?
Herr, du bist würdig zu nehmen
Preis und Ehre und Kraft,
denn du hast alle Dinge geschaffen,
und durch deinen Willen haben sie das Wesen
und sind geschaffen.

VII

Selig sind die Toten,
die in dem Herrn sterben,
von nun an.
Ja, der Geist spricht,
daß sie ruhen von ihrer Arbeit;
denn ihre Werke folgen ihnen nach.

EIN DEUTSCHES REQUIEM

I.

Johannes Brahms
(1833–1897)
Op. 45

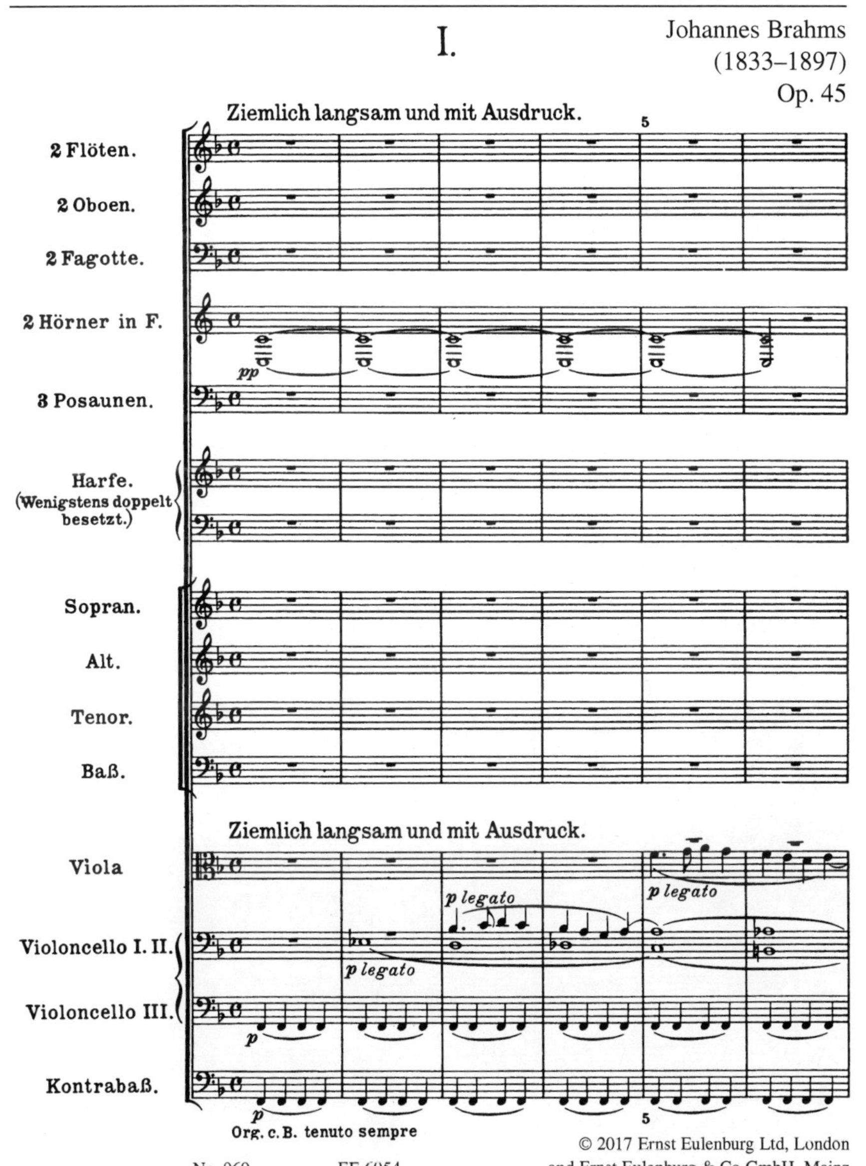

No. 969 EE 6054

Hr. in F.
Vla.
I. II.
Vcll.
III.
K.B.
p legato
pp
dimin.
Sopr.
Alt.
Ten.
Baß.
espress.
Se - lig sind, se - lig sind, die da
Se - lig sind, se - lig sind, die da
Se - lig sind, se - lig sind, die da
Se - lig sind, se - - - - lig
Org. tacet

Sopr.
Alt.
Ten.
Baß.
Leid tra - gen, denn sie sol - len ge - trö - stet wer -
Leid tra - gen, denn sie sol - len ge - trö - stet, ge -
Leid tra - gen, denn sie sol - len ge - trö - stet, ge -
sind, die da Leid tra - gen, denn sie sol - len ge - trö - stet, ge -
Fl.
Fg.
Hr. in F.
Vla.
I. II. Vcll. III.
K. B.
p dolce
pizz.
den, se - lig sind, se - lig sind,
trö - stet wer - den, se - lig sind, se - lig sind,
trö - stet wer - den, se - lig sind, se - lig sind,
trö - stet wer - den, se - lig sind, se - lig sind,

35
Fl.
Ob.
p espress.
Fg.
Hr. in F.
Pos.
p
Sopr.
die da Leid, Leid tra - gen,
Alt.
die da Leid, Leid tra - gen,
Ten.
die da Leid, Leid tra - gen,
Baß.
die da Leid, Leid tra - gen,
Vla.
p
I. II.
Vcll.
III.
arco
p
p
arco
K. B.
p
35
Org. c. B.

40
Fl.
Ob.
Fg.
Hr. in F.
Pos.
Sopr.
denn sie sol - len ge trö - - - - stet, ge-trö-stet
Alt.
denn sie sol - len, sie sol - - - len ge - - trö - - -
Ten.
denn sie sol - len ge - trö - - - - stet, ge-trö-stet
Baß.
denn sie sol - len ge - trö - - - - stet, ge - - trö - - stet
Vla.
dimin.
I. II. Vcll. III.
dimin.
K. B.
40
Org. tacet

45
Fl.
p dolce
Ob.
p dolce
Fg.
p dolce
Hr. in F.
II.
Pos.
p dolce
Hfe.
p
Sopr.
wer - - den.
Alt.
- stet wer - den.
p
Mit Trä - nen
Ten.
wer - - den.
p
Die mit Trä - - nen, die mit
Baß.
p
wer - - den.
Die mit Trä - - - nen, die mit
Vla.
p
I. II. Vcll. III.
p espress.
p
K. B.
p
45

50
Fl.
Ob.
Fg.
Hfe.
Sopr.
Alt.
Ten.
Baß.
Vla.
I. II.
Vcll.
III.
K. B.
Die mit Trä - - - - nen, mit Tränen
sä - - - en, die mit Trä - nen, die mit Trä - - - nen
Trä - - - nen, die mit Trä-nen, mit Trä - nen sä - - - en,
Trä - - - nen, die mit Trä - nen sä - en, mit Trä - nen sä - -
50

55
Fl.
Ob.
Fg.
Hr. in F.
a 2
Pos.
II.
I. II.
III.
Hfe.
Sopr.
sä - en, wer - den mit Freu - den, mit Freu - den ern - ten, wer -
Alt.
sä - en, wer - den mit Freu - den, mit Freu -
Ten.
wer - den mit Freu - den ern - ten, wer - den mit
Baß.
en, wer - den mit Freu - den ern - ten,
Vla.
mf cresc.
I. II.
Vcll.
III.
mf cresc.
pizz.
arco
K. B.
55

60
Fl.
dimin.
Ob.
dimin.
Fg.
dimin.
Hr. in F.
mf
dimin.
Pos.
Hfe.
dimin.
Sopr.
- - - den mit Freu - - - - - - den
Alt.
- - den ern - ten, mit Freu - - - - - - den
Ten.
p
Freu - den, mit Freu-den ern - - - ten, mit
Baß.
p
wer - den mit Freu - den, mit Freu-den ern - - - ten, mit
Vla.
dimin.
zus.
I.II.
Vcll.
III.
dimin.
p
K.B.
dimin.
60

65
Hr. in F.
pp
Sopr.
p
ern - - ten.
Alt.
p
ern - - ten.
Ten.
Freu - den ern - - - ten.
p
Sie
Baß.
Freu - den ern - - - ten.
p
Sie ge - hen
Vla.
p
I. II. Vcll. III.
pp legato
p
K. B.
p
pp
pp
65 Org. c. B.
70
Fl.
I.
p
Ob.
I.
p
Hr. in F.
pp
Sopr.
p espress.
Sie ge - hen hin und wei -
Alt.
p
Sie ge - hen hin und wei - nen,
espress.
sie ge - hen
Ten.
ge - hen hin und wei - nen, und wei - nen,
espress.
sie ge - hen
Baß.
hin und wei - nen, und wei - nen,
espress.
sie ge - hen
Vla.
legato
pp
pp legato
pp legato
70

I.
75
Fl.
espress.
I.
Ob.
espress.
Fg.
II.
Hr. in F.
I. pp
II.
Pos.
Sopr.
- - - - nen, und wei - - nen,
Alt.
hin und wei - - nen, wei - - nen,
pp
Ten.
hin und wei - nen, wei - - nen, sie
pp
Baß.
hin und wei - - - nen, sie
Vla.
dimin.
I.II. Vcll.
dimin.
III.
dimin.
K. B.
dimin.
75
Org. tacet

Fl.
Sopr.
Alt.
Ten.
Baß.
Vla.
I. II. Vcll. III.
K. B.
80
p dolce
p espress.
und
sie gehn und wei - nen
ge - hen hin und wei - - - nen, hin und wei - nen
ge - hen hin und wei - - - nen, hin und wei - nen
ppp
p
85
Fl.
Ob.
Fg.
Hfe.
p cresc.
f
Sopr.
Alt.
Ten.
Baß.
cresc.
tra - gen, tra - gen ed - len Sa - men, ed - len
und tra - gen, und tra - gen ed - len, ed - len Sa -
und tra - gen, und tra - gen ed - len Sa - men,
und tra - gen, und tra - gen ed - len, ed - len Sa -
Vla.
I. II. Vcll. III.
K. B.
cresc.
85

90
Fl.
Ob.
Fg.
Hr. in F.
a 2
Pos.
II.
I. II.
III.
Hfe.
Sopr.
Sa - men, und kom - men mit Freu - den, kom - men mit Freu - den und brin -
Alt.
men, und kom - men mit Freu - den, kom -
Ten.
kom - men mit Freu-den, mit Freu - den, und kom - men mit
Baß.
men, und kom - men mit Freu-den, mit Freu - den, und
Vla.
mf cresc.
I. II. Vcll. III.
mf cresc.
pizz.
arco
K. B.
pizz.
arco
90

Fl.
Ob.
Fg.
Hr. in F.
Pos.
Hfe.
Sopr.
Alt.
Ten.
Baß.
Vla.
I.II.
Vcll.
III.
K. B.
dimin.
mf
p
zus.
- gen ih - re Gar - - - ben, ih - - re
men mit Freu - den und brin - - - - - gen ih - re
Freu - den, kom - men mit Freu - - den und brin - gen
kom - men mit Freu - den, kom - men mit Freu - - - den und brin - gen

95
II.
100
Fg.
Sopr.
Alt.
Ten.
Baß.
Gar - ben.
ih - re Gar - ben.
Se -
Vla.
I. II.
Vcll.
III.
K. B.
Org. c. B.
Fl.
Ob.
Hr. in F.
105
I.
p espress.
lig sind,
se - lig sind,
se - lig, se - lig sind, die da Leid tra -
Org. tacet

110
115
Fl.
Ob.
Fg.
Hr. in F.
Pos.
Sopr.
Alt.
Ten.
Baß.
Vla.
I.II. Vcll. III.
K.B.
cresc.
p espress.
espress.
p cresc.
se - lig sind, die da Leid tra - gen, denn sie
gen, se - lig sind, die da Leid tra - gen, denn sie
die da Leid tra - gen, se - lig sind, die da Leid tra - gen, denn sie
se - - - - lig sind, die da Leid tra - gen, denn sie

Fl.
Ob.
Fg.
Hr. in F.
Pos.
III.
Sopr.
Alt.
Ten.
Baß.
Vla.
I. II.
Vcll.
III.
K. B.
120
dolce
sol - len ge - trö-stet wer - - - den, se - lig sind, se - lig
sol - len ge - trö - stet, ge - trö-stet wer - den, se - lig sind, se - lig
sol - len ge - trö-stet, ge - trö-stet wer - den, se - lig sind, se - lig
sol - len ge - trö-stet, ge - trö-stet wer - den, se - lig sind, se - lig
120

125
Fl.
Ob.
Fg.
Hr. in F.
Pos.
Sopr.
Alt.
Ten.
Baß.
Vla.
I.II.
Vcll.
III.
K. B.
f
dimin.
fp
p
sind, die da Leid tra - - gen, denn sie
Org. c. Vle. e B
t.s.
125

Fl.
Ob.
Fg.
Hr. in F.
Pos.
Sopr.
sol - len ge - trö - - - stet, ge-trö-stet wer - - - den,
Alt.
sol - len ge - trö - - stet, ge - trö - - stet wer - den,
Ten.
sol - len ge - trö - - - stet, ge-trö-stet wer - - - den,
Baß.
sol - len ge - trö - - stet, ge - trö - stet wer - - - den,
Vla.
dimin.
I. II. Vcll. III.
dimin.
pizz.
K. B.
Org. tacet

140
Fl.
p dolce
cresc.
f
dimin.
Ob.
Fg.
a 2
I.
Hr. in F.
Pos.
Sopr.
ge-tröstet wer - den, sie soll'n ge-
Alt.
ge - trö - stet wer - den, ge-
Ten.
ge - trö - stet wer-den, ge-
Baß.
sie sol - - len ge-
Vla.
p
Vcll.
I. II.
III.
K. B.
arco
Org. c. B.t.s.
140

145
a2
Fl.
p cresc.
Ob.
a2
p
p cresc.
Fg.
p
Hr. in F.
a2
p
p cresc.
Pos.
Sopr.
cresc.
trö-stet wer - den, ge - trö-stet wer - den, denn
Alt.
trö-stet wer - den,
Ten.
cresc.
trö-stet wer - den, ge - trö-stet wer - den, ge - trö-stet wer -
Baß.
mf
trö-stet wer - den, ge-
Vla.
cresc.
I.II. Vcll. III.
cresc.
K.B.
Org. c. Vle. e Vcll. tacet
145

150
Fl.
Ob.
Fg.
Hr. in F.
Hfe.
Sopr.
Alt.
Ten.
Baß.
Vla.
I. II. Vcll. III.
K. B.
f
dimin.
p
cresc.
II.
mf
sie sol - - - - - - len ge - trö - stet wer -
denn sie sol - - - - - - len ge - trö - stet wer -
den, denn sie sol - - - len ge - trö - stet wer -
trö - stet, ge - trö - stet, sie soll'n ge - trö - stet wer -
pizz.
150

155
Fl.
Ob.
Fg.
Hr. in F.
II.
Hfe.
Sopr.
den, ge-trö-stet wer- - - - - den.
Alt.
den, ge-trö-stet wer- - - - - den.
Ten.
den, ge-trö-stet wer- - - - - - - - - - den.
Baß.
den, ge-trö-stet wer- - - - - - - - - - den.
Vla.
I. II. Vcll. III.
K. B.
155

II.

Langsam, marschmäßig.
5
Piccolo.
2 Flöten.
2 Oboen.
2 Klarinetten in B.
2 Fagotte.
2 Hörner in tief B.
2 Hörner in tief C.
2 Trompeten in B.
3 Posaunen und Tuba.
Pauken in F. B. Es.
Harfe.
Violine I.
Violine II.
Viola
Sopran.
Alt.
Tenor.
Baß.
Violoncello.
Kontrabaß.
m.v. legato ma un poco marcato
a 2
pp legato m.v.
con sordini
a 3
legato ma un poco marcato
pp mezza voce, sempre legato
pp
p

10
Picc.
Fl.
a 2
Ob.
Kl. in B.
a 2
Fg.
in B.
Hr.
in C.
Trp. in B.
II.
Pk.
3
Hfe.
I.
Vln.
II.
Vla.
Vcll.
K.B.
10

15
Picc.
p dolce
Fl.
pp
Ob.
I.
pp dolce
pp
Kl. in B.
a 2
pp
Fg.
pp
in B.
Hr.
in C.
pp
pp
Trp. in B.
pp
Pk.
pp
3
ben marcato
Hfe.
pp
p
I.
Vln.
II.
pp
pp
Vla.
pp
Vcll.
pp
K.B.
pp
15

20
legato ma un poco marcato
legato ma un poco marcato
legato ma un poco marcato
legato ma un poco marcato
legato ma un poco marcato
Picc.
Fl.
Ob.
Kl. in B.
Fg.
in B.
Hr.
in C.
Trp. in B.
Pos.
Pk.
Hfe.
I.
Vln.
II.
Vla.
Alt.
Ten.
Baß.
Vcll.
K.B.
II.
p legato
a3
legato ma un poco marcato
Denn al - les Fleisch es
Denn al - les Fleisch es
Denn al - les Fleisch es
20

25
30
Picc.
Fl.
a 2
dolce
Ob.
I.
Kl.
in B.
a 2
Fg.
in B.
Hr.
in C.
pp
Trp.
in B.
a 2
II.
Pos.
Pk.
Hfe.
dim.
Vla.
Alt.
ist wie Gras und al - le Herr - lich- keit des Men - schen
Ten.
ist wie Gras und al - le Herr - lich- keit des Men - schen
Baß.
ist wie Gras und al - le Herr - lich- keit des Men - schen
Vcll.
K.B.
25
30

35
Picc.
Fl.
Ob.
Kl. in B.
Fg.
Hr. in B.
Pos.
Pk.
Hfe.
Vla.
Sopr.
Alt.
Ten.
Baß.
Vcll.
K.B.
p dolce
pp
I.
a 2
dolce
II.
zus.
p
Das Gras ist ver - dor - ret und die
wie des Gra - ses Blu-men. Das Gras ist ver - dor - ret und die
wie des Gra - ses Blu-men. und die
wie des Gra - ses Blu-men. und die
35

40
Picc.
Fl.
Ob.
Kl. in B.
Fg.
in B. Hr. in C.
Trp. in B.
Pk.
Hfe.
I. Vln. II.
Vla.
Sopr.
Blu - me ab - ge - fal - - - - - - len.
Alt.
Blu - me ab - ge - fal - - - - - - len.
Ten.
Blu - me ab - ge - fal - - - - - - len.
Baß.
Blu - me ab - ge - fal - - - - - - - len.
Vcll.
K.B.
40

45
Picc.
Fl.
poco a poco cresc.
Ob.
Kl. in B.
poco a poco cresc.
a 2
Fg.
a 2
II.
in B.
Hr.
in C.
poco a poco cresc.
a 2
p ben marc. poco a poco cresc.
Pk.
p
poco a poco cresc.
I.
Vln.
II.
poco a poco cresc.
poco a poco cresc.
Vla.
a 2
poco a poco cresc.
Vcll.
pp
poco a poco cresc.
K.B.
pp Org. c.B. t.s.
poco a poco cresc.
45

50
Fl.
Ob.
Kl. in B.
Fg.
in B.
Hr.
in C.
Pos.
Pk.
I.
Vln.
II.
Vla.
Vcll.
K.B.
mf
cresc.
p cresc.
III.
II.
I.II.
sempre cresc.
50

55
Pico.
Fl.
Ob.
Kl. in B.
Fg.
in B.
Hr.
in C.
Trp. in B.
Pos. u. Tuba.
Tuba col III.
Pk.
Hfe.
a 2
I.
Vln.
II.
Vla.
Sopr.
Denn al - - les Fleisch es ist wie Gras und
Alt.
Denn al - - les Fleisch es ist wie Gras und
Ten.
Denn al - - les Fleisch es ist wie Gras und
Baß.
Denn al - - les Fleisch es ist wie Gras und
Vcll.
K.B.
Org. c. coro
55

60
Fl.
Ob.
Kl. in B.
Fg.
in B. Hr. in C.
Trp. in B.
Pos. u.Tuba.
Pk.
Hfe.
I. Vln. II.
Vla.
Sopr.
Alt.
Ten.
Baß.
Vcll.
K.B.
a2
dim.
zus.
p
pp
al - le Herr - lich - keit des Men - schen wie des Gra - ses
60

65
70
Picc.
Fl.
Ob.
Kl. in B.
Fg.
in B. Hr. in C.
Pos. u. Tuba.
Pk.
Hfe.
I. Vln. II.
Vla.
Sopr.
Alt.
Ten.
Baß.
Vcll.
K.B.
p dolce
I.
dolce
pp
Blu-men.
Blu-men. Das Gras ist ver-dor-ret und die Blu - me ab - ge -
Blu-men. Das Gras ist ver-dor-ret und die Blu - me ab - ge -
Blu-men. und die Blu - me
Org. tacet

75
Etwas bewegter
Picc.
Fl.
I.
Kl. in B.
Fg.
in B. Hr. in C.
Pk.
Hfe.
Etwas bewegter
I. Vln. II.
p dolce
p dolce
Vla.
p dolce
Sopr.
p espress.
So seid nun ge - dul - dig, lie - ben
Alt.
p espress.
fal - - - len. So seid nun ge - dul - dig, lie - ben
Ten.
p espress.
fal - - - len. So seid nun ge - dul - dig, lie - ben
Baß.
p espress.
ab - ge - fal - - len. So seid nun ge - dul -
Vcll.
pp
p
dolce
K.B.
pp
75
Org. tacet

80
Fl.
Ob.
Fg.
Hr. in B.
I. Vln. II.
Vla.
Sopr.
Alt.
Ten.
Baß.
Vcll.
p
dolce espress.
a 2
p dolce
I.
Brü - der, bis auf die Zu - kunft des Herrn,
Brü - der, bis auf die Zukunft, die Zu - kunft des Herrn,
Brü - der, bis auf die Zukunft, die Zu - kunft des Herrn,
dig bis auf die Zu - kunft des Herrn,
80
85
90
Vl.I.
bis auf die Zu - kunft des Herrn. Sie - he ein
bis auf die Zukunft, die Zukunft des Herrn.
bis auf die Zukunft, die Zukunft des Herrn.
bis auf die Zukunft des Herrn.
85
90

95
Hr. in B.
Vln. I. II.
Vla.
Sopr.
Alt.
Ten.
Baß.
Vcll.
K.B.
II. p cresc.
p dolce
p cresc.
pizz. marc.
A-cker-mann war - - - tet auf die köst - li - che
Sie-he ein Ackermann war - tet auf die köst-li-che Frucht, die köst - li - che
Sie-he er war - tet auf die köst-li-che Frucht, die köst - li - che
Sie-he ein Ackermann war - tet auf die köst - li - che
100
105
a 2
Fg.
I.
p
Frucht der Er - - - de und ist ge - dul -
Frucht, auf die köst - li - che Frucht der Er - de und
Frucht, auf die köst - li - che Frucht der Er - de und ist ge - dul -
Frucht, auf die köst - li - che Frucht der Er - de

110
I. Solo
p dolce
pp dolce
a 2
pp
I.
pp
p
pizz.
pp
pizz.
pp
pizz.
pp
sempre pp
- - - dig da - rü - ber, bis er em - pfa - he den Mor-gen-
sempre pp
ist ge - dul-dig da - rü - ber, bis er em - pfa - he den Mor-gen-
sempre pp
- - - dig da - rü - ber, bis er em - pfa - he den Mor-gen-
p dolce
sempre pp
und ist ge - dul-dig da - rü - - ber, bis
pp
pizz.
pp
110
Fl.
Ob.
Fg.
Hr. in B.
Hfe.
I.
Vln.
II.
Vla.
Sopr.
Alt.
Ten.
Baß.
Vcll.
K.B.

115
I.
Fl.
pp
Ob.
a 2
Fg.
pp
I.
Hr. in B.
pp
Hfe.
I.
Vln.
II.
pp
pp
Vla.
pp
Sopr.
re - - - - - - - gen und A-bend - re - - - - -
Alt.
re - - - - - - - gen und A-bend - re - - - - -
Ten.
re - - - - - - - gen und A-bend - re - - - - -
Baß.
er em - pfa - - he den A - bend - re - - - - -
Vcll.
pp
K.B.
pp
115

120
125
Picc.
Fl.
Ob.
Kl. in B.
Fg.
Hr. in B.
Pk.
Hfe.
I. Vln. II.
Vla.
Sopr.
Alt.
Ten.
Baß.
Vcll.
K.B.
I.
a 2
dim.
arco
a 3
pp
p
- - gen. So seid ge- dul - - - dig.

Tempo I.
130
Picc.
m.v. legato ma un poco marc.
Fl.
a2
m.v. legato ma un poco marc.
Ob.
m.v. legato ma un poco marc.
Kl. in B.
m.v. legato ma un poco marc.
Fg.
a2
in B.
Hr.
in C.
pp
pp
Trp. in B.
pp
II.
Pk.
Hfe.
p
Tempo I.
I.
Vln.
II.
legato ma un poco marc.
legato ma un poco marc.
Vla.
legato ma un poco marc.
Vcll.
K.B.
130

135
Fl.
Ob.
Kl. in B.
Fg.
Hr. in B.
Trp. in B.
Pk.
Hfe.
I.
Vln.
II.
Vla.
Vcll.
K.B.
a 2
I.
pp dolce
zus.
pp
135

140
Picc.
Fl.
p dolce
Ob.
I.
pp
Kl. in B.
Fg.
in B.
Hr.
in C.
a 2
pp
Trp. in B.
pp
ben marcato
Pk.
3
Hfe.
p
I.
Vln.
II.
Vla.
Vcll.
K.B.
140

145
150
Picc.
Fl.
Ob.
Kl. in B.
Fg.
in B.
Hr.
in C.
Trp. in B.
Pos.
Pk.
Hfe.
I.
Vln.
II.
Vla.
Sopr.
Alt.
Ten.
Baß.
Vcll.
K. B.
pp
legato ma un poco marcato
II.
p
legato
a 3
pp legato ma un poco marcato
Denn al - les Fleisch es ist wie Gras und
Denn al - les Fleisch es ist wie Gras und
Denn al - les Fleisch es ist wie Gras und
145
150

a 2
155
Fl.
dolce
Ob.
I.
Kl. in B.
a 2
Fg.
Hr. in B.
Trp. in B.
a 2
II.
Pos.
Pk.
Hfe.
dim.
Vla.
Sopr.
Alt.
al - le Herr - lich - keit des Men - schen wie des Gra - ses
Ten.
al - le Herr - lich - keit des Men - schen wie des Gra - ses
Baß.
al - le Herr - lich - keit des Men - schen wie des Gra - ses
Vcll.
K.B.
155

160
Picc.
Fl.
Ob.
Kl. in B.
Fg.
in B. Hr in C.
Trp. in B.
Pos.
Pk.
Hfe.
Vla.
Sopr.
Alt.
Ten.
Baß.
Vell.
K.B.
p dolce
pp
I.
dolce
a 2
II.
zus.
Das Gras ist ver - dor-ret und die Blu - me
Blumen. Das Gras ist ver - dor-ret und die Blu - me
Blumen. und die Blu - me
Blumen. und die Blu - me
160

165
Picc.
Fl.
Ob.
Kl. in B.
Fg.
in B. Hr. in C.
Trp. in B.
Pk.
Hfe.
I. Vln. II.
Vla.
Sopr.
Alt.
Ten.
Baß.
Vcll.
K.B.
pp
p
marc.
p ben marc.
a 2
a 3
ab - ge - fal - - - len.
Org. c. B. t.s.
165

170
Picc.
Fl.
poco a poco cresc.
mf cresc.
Ob.
Kl. in B.
poco a poco cresc.
mf cresc.
Fg.
mf cresc.
in B.
Hr.
in C.
poco a poco cresc.
mf cresc.
poco a poco cresc.
III.
Pos.
p cresc.
Pk.
poco a poco cresc.
I.
Vln.
II.
poco a poco cresc.
mf
poco a poco cresc.
mf
Vla.
poco a poco cresc.
mf
Vcll.
poco a poco cresc.
mf
K.B.
poco a poco cresc.
mf
170

175
Picc.
Fl.
Ob.
Kl. in B.
Fg.
in B. Hr. in C.
Trp. in B.
Pos. u. Tuba
Pk.
Hfe.
I. Vln. II.
Vla.
Sopr.
Alt.
Ten.
Baß.
Vcll.
K. B.
cresc.
mf
ff
f
II. cresc.
III.
I. II. cresc.
Tuba col III.
sempre cresc.
a 2
Denn al - les
sempre cresc.
Org. c. coro
175

180
Picc.
Fl.
Ob.
Kl. in B.
Fg.
in B.
Hr.
in C.
Trp. in B.
Pos. u. Tuba
Pk.
Hfe.
a 2
I.
Vln.
II.
Vla.
Sopr.
Alt.
Ten.
Baß.
Vcll.
K.B.
dim.
Fleisch es ist wie Gras und al - le Herr - lich-
180

185
190
Fl.
Ob.
Kl. in B.
Fg.
in B. Hr. in C.
Trp. in B.
Pos. u. Tuba
Pk.
Hfe.
I. Vln. II.
Vla.
Sopr.
Alt.
Ten.
Baß.
Vcll.
K. B.
dolce
keit des Men - schen wie des Gra - ses Blumen.
keit des Men - schen wie des Gra - ses Blumen. Das Gras ist ver-
keit des Men - schen wie des Gra - ses Blumen. Das Gras ist ver-
keit des Men - schen wie des Gra - ses Blumen.
Org. tacet
185
190

195
Picc.
p dolce
I.
Fl.
p dolce
Ob.
Kl. in B.
Fg.
pp
in B.
Hr.
pp
in C.
3
Pk.
Hfe.
pp
I.
Vln
II.
Vla.
Sopr.
Alt.
dorret und die Blu - me ab - ge - fal - - - len.
Ten.
dorret und die Blu - me ab - ge - fal - - - len.
Baß.
und die Blu - me ab - ge - fal - len.
Vcll.
pp
K. B.
pp
195

Un poco sostenuto.
200
Fl.
Ob.
Kl. in B.
Fg.
a 2
in tief B.
Hr.
in F.
in F
Pos.
Tuba tacet
Pk.
Un poco sostenuto.
senza sordini
I.
Vln.
II.
senza sordini
Vla.
senza sordini
Sopr.
A - ber des Herrn Wort bleibet, blei - bet in
Alt.
A - ber des Herrn Wort bleibet, blei - bet in
Ten.
A - ber des Herrn Wort bleibet, blei - bet in
Baß.
A - ber des Herrn Wort bleibet, blei - bet in
Vcll.
K.B.
Org. c. coro.
200

205
Fl.
ff marcato
Ob.
ff marcato
Kl. in B.
a 2
Fg.
ff marcato
a 2
in B. Hr. in F.
ff marcato
f marcato
Trp. in B.
I.
Pos.
f
II.
tr
Pk.
f
I. Vln. II.
stacc.
Vla.
Sopr.
E - - - - - - - - - - - - - - - -
Alt.
E - - - - - - - - - - - - - - - -
Ten.
E - - - - - - - - - - - - - - - -
Baß.
E - - wig - keit, in E - - wig -
Vcll.
K.B.
205

Allegro non troppo.
210
Fl.
Ob.
Kl. in B.
a 2
Fg.
in B. Hr. in F.
Trp. in B.
Pos.
III.
Pk.
Allegro non troppo.
I. Vln. II.
Vla.
Sopr.
- wig - keit.
Alt.
- wig - keit.
Ten.
- wig - keit.
Baß.
keit. Die Er - lö - se-ten des Herrn werden wie-der kommen, und gen Zi - on,
Vcll.
K.B.
Org. tacet
210

Ob.
Kl. in B.
Fg.
Trp. in B.
I. Vln. II.
Vla.
Sopr.
Alt.
Ten.
Baß.
Vcll.
K.B.
a 2
Die Er-lö-seten des Herrn werden wie - der kom-men,
Die Er-lö-seten des Herrn werden wie-der kom-men,
Die Er-lö-seten des Herrn werden wie-der kom-men,
und gen Zi-on kommen mit Jauchzen, die Er - lö - seten des Herrn werden wieder

Fl.
Ob.
a 2
Kl. in B.
a 2
Fg.
Hr. in B.
f marcato
Trp. in B.
f marcato
Pos.
Tuba tacet
I. Vln. II.
Vla.
Sopr.
und gen Zi - on, und gen Zi - on kom-men mit Jauchzen; Freu - de,
Alt.
und gen Zi - on kom - men mit Jauch - - zen; Freu - de,
Ten.
und gen Zi - on kom - men mit Jauch - zen; e - wi - ge
Baß.
kommen, und gen Zi - on kom-men mit Jauchzen; Freu - de,
Vcll.
K.B.
Org. c. coro

220
Fl.
Ob.
Kl. in B.
Fg.
in B. Hr. in F.
Trp. in B.
Pos.
I. Vln. II.
Vla.
Sopr.
Alt.
Ten.
Baß.
Vcll.
K.B.
cresc.
f marcato
Tuba col III.
Freu - de, Freu - de, Freu - de, e - wi - ge
Freu - de, Freu - de, Freu - de, e - wi - ge
Freu - de, e - wi - ge Freu - de, e - wi - ge
Freu - de, Freu - de Freu - de, e - wi - ge
220

225
Fl.
Ob.
Kl. in B.
Fg.
in B. Hr. in F.
Trp. in B.
Pos. u. Tuba
Pk.
I. Vln. II.
Vla.
Sopr.
Freu - de wird ü - ber ih - rem
Alt.
Freu - de wird ü - ber ih - rem
Ten.
Freu - de wird ü - ber ih - rem
Baß.
Freu - de wird ü - ber ih - rem
Vcll.
K.B.
225

230
Fl.
Ob.
a 2
f
Kl. in B.
Fg.
III. IV.
Hr. in F.
a 2 marcato
f
I.
Vln.
II.
Vla.
p cresc.
f
Sopr.
Haup - - te sein; Freu - de und Won - ne
Alt.
Haup - - te sein;
Ten.
Haup - - te sein; Freu - de und
Baß.
Haup - - te sein;
Vcll.
K. B.
p cresc.
230
Org. tacet

235
240
Fl.
Ob.
Kl. in B.
Fg.
Hr. in F.
I. Vln. II.
Vla.
Sopr.
Alt.
Ten.
Baß.
Vcll.
K. B.
a 2
I.
III. IV. a 2
III.
p
wer-den sie er - grei - - fen,
und Schmerz und
Won - - - - - - ne,
235
240

245
Fl.
a 2
mf cresc.
Ob.
I.
p cresc.
Kl. in B.
p cresc.
a 2
mf cresc.
Fg.
I.
p cresc.
mf cresc.
in B.
Hr.
in F.
I.
mf cresc.
a 2
f
III.
p cresc.
I.
Vln.
II.
mf cresc.
f
Vla.
mf cresc.
f
Sopr.
Seufzen wird weg, wird weg müs - sen;
Alt.
Seufzen wird weg, wird weg müssen; Freu - de und Won -
Ten.
Seufzen wird weg, wird weg müssen; Freu - de und Won - ne
Baß.
Seufzen wird weg, wird weg müssen; Freu - de und
Vcll.
mf cresc.
K. B.
mf cresc.
245

250
Fl.
Ob.
Kl. in B.
Fg.
in B. Hr. in F.
Pos.
I. Vln. II.
Vla.
Sopr.
Alt.
Ten.
Baß.
Vcll.
K.B.
a 2
f
Tuba tacet
wer -
ne, Won - ne wer - - den sie er - grei - fen,
wer-den sie er - grei - - fen, wer - - den sie er -
Won - - ne werden sie er - grei - - fen, wer -
250

a 2
255
260
Fl.
Ob.
Kl. in B.
Fg.
fp
Hr. in B.
in F.
pp
Pos.
I.
Vln.
II.
Vla.
p
Sopr.
- den sie er - greifen, und Schmerz und Seuf-
Alt.
sie er - greifen, und Schmerz und Seuf-
Ten.
grei - fen, er - greifen, und Schmerz und Seuf-
Baß.
- den sie er - greifen, und Schmerz und Seuf-
Vcll.
K. B.
255
260

265
Fl.
Ob.
Kl. in B.
Fg.
Hr. in B.
Pos.
I.
Vln.
II.
Vla.
Sopr.
Alt.
Ten.
Baß.
Vcll.
K. B.
a 2
molto marc.
f cresc.
p cresc.
marcato
mf cresc.
cresc.
f
-zen wird weg, wird weg müs - sen,
-zen wird weg, wird weg, wird weg, wird weg müs - sen,
zen wird weg, wird weg, wird weg, wird weg müs - sen,
zen wird weg, wird weg müs - sen,
Org. c. Corn., Kl. Fl. e Ob.
265

270
a 2
Fl.
Ob.
Kl. in B.
Fg.
ff
in B.
Hr.
in F.
f cresc. marc.
Trp. in B.
Pos. u.Tuba.
Tuba u. III. f
I.
Vln.
II.
Vla.
sempre cresc.
f sempre cresc.
Sopr.
weg müs - - sen. Die Er-lö - seten des Herrn,
Alt.
weg müs - - sen. Die Er-lö - seten des
Ten.
weg müs - - sen. Die Er-lö - se-ten des Herrn, die
Baß.
weg müs - - sen. Die Er-
Vcll.
ff marcato
K. B.
Org. c. Vli. e B.
270
Kontra-Fagott col Basso.

275
Fl.
Ob.
Kl. in B.
Fg.
a 2
in B. Hr. in F.
Trp. in B.
a 2
Pos. u.Tuba.
III. col Tuba sempre
Pk.
I. Vln. II.
Vla.
Sopr.
— die Er - lö - seten des Herrn ______ wer-den wieder kommen
Alt.
Herrn, die Er-lö - seten des Herrn ______ wer-den wie-derkommen
Ten.
— Er - lö - - se - ten ______ des Herrn werden wiederkommen
Baß.
lö - seten des Herrn, die Er-lö - seten des Herrn werden wie-derkommen
Vcll.
K. B.
Org. tacet
275

280

Fl.

Ob.

Kl. in B.

Fg.

Hr. in B.

Trp. in B.

Pos. u. Tuba. III.

I. Vln. II.

Vla.

Sopr. und gen Zi-on, und gen Zi-on kommen mit Jauch-zen, kommen mit Jauch-zen,

Alt. und gen Zi-on, und gen Zi - on kommen mit Jauch-zen, kommen mit Jauch-zen,

Ten. und gen Zi-on, und gen Zi-on kommen mit Jauch-zen, kom-men mit Jauch-zen,

Baß. und gen Zi - on, und gen Zi - on kommen mit Jauch-zen, kom-men mit Jauch-zen,

Vcll.

K. B.

280

Fl.
Ob.
Kl. in B.
Fg.
in B.
Hr.
in F.
I.
a 2
III.
Pos. u. Tuba.
I.
Vln.
II.
Vla.
Sopr.
kom - men mit Jauch - zen, mit Jauch - zen, kom - men, kom-
Alt.
und gen Zi - on kom - men mit Jauch - zen, kom - men, kom-
Ten.
und gen Zi - on, und gen Zi - on kom - men, kom - men, kom-
Baß.
und gen Zi - on, und gen Zi - on kom - men, kom - men mit Jauch -
f
Vcll
cresc.
K. B.
cresc.

285
Fl.
Ob.
Kl. in B.
Fg.
Hr. in B.
Hr. in F.
Trp. in B.
III.
I. II.
Pos. u. Tuba.
III. u. Tuba
I. Vln.
II.
Vla.
Sopr.
men, kom - men, kom - men, kom -
Alt.
men, kom - men, kom - men, kom - men,
Ten.
men, kom - men, kom - men, kom - men, und gen Zi - on
Baß.
zen, mit Jauch - zen, mit Jauch - zen, mit Jauch - zen kom - men, gen Zi - on
Vcll.
K. B.
285

290
Fl.
Ob.
Kl. in B.
Fg.
in B. Hr. in F.
a 2
f marcato
Trp. in B.
Pos. Tuba.
I. Vln. II.
Vla.
Sopr.
men mit Jauch - zen; Freu - de,
Alt.
kommen mit Jauch - zen; e - wi - ge Freu - de,
Ten.
kommen mit Jauch - zen; Freu - de, Freu - de,
Baß.
kom - men mit Jauchzen; Freu - de, Freu - de,
Vcll.
K.B.
Org. c. Pos.
290

295
Fl.
Ob.
Kl. in B.
Fg.
a 2
in B.
Hr.
in F.
a 2
f marcato
Trp. in B.
Pos. u.Tuba.
Pk.
I.
Vln.
II.
cresc.
cresc.
Vla.
cresc.
Sopr.
Freu - de, Freu - de, Freu - de, Freu -
Alt.
e - wi - ge Freu - de, e - wi - ge Freu -
Ten.
Freu - de, Freu - de, e - wi - ge Freu -
Baß.
Freu - de, Freu - de, e - wi - ge Freu -
Vcll.
K. B.
295

300
Fl.
Ob.
Kl. in B.
Fg.
Hr. in B.
Hr. in F.
IV.
Trp. in B.
Pos. u.Tuba.
Pk.
I. Vln.
II.
Vla.
Sopr.
de wird ü - ber ih - - rem Haup - - -
Alt.
de wird ü - ber ih - - rem Haup - - -
Ten.
de wird ü - ber ih - - rem Haup - - -
Baß.
de wird ü - ber ih - - rem Haup - - -
Vcll.
K. B.
(senza Kontra-Fag.)
Org. c. Coro
300

tranquillo
305
Fl.
Ob.
Kl. in B.
Fg.
in B. Hr. in F.
Trp. in B.
Pk.
I. Vln. II.
Vla.
Sopr.
Alt.
Ten.
Baß.
Vcll.
K. B.
I.
I. Solo
I. Solo
I. Solo
IV.
I. Solo
pp tranquillo
tranquillo
pp tranquillo
pp tranquillo
- te sein,
te sein,
- te sein, e - wi-ge Freu-de,
te sein,
pizz.
pp tranquillo
pp Org. c. B. t. s.
305

310
Fl.
II.
p
Ob.
I. Solo
p
Kl. in B.
p
Fg.
I.
in B.
Hr.
in F.
I.
p
III.
p
Trp. in B.
pp
Pk.
Vln. II.
Vla.
Sopr.
Alt.
p
e -
Ten.
Baß.
p
e - - wi-ge Freu - de,
Vcll.
K.B.
310

315
Fl.
Ob.
Kl. in B.
in B. Hr. in F.
Pk.
I. Vln. II.
Vla.
Sopr.
e - - wi-ge Freu - de,
Alt.
- - wi-ge Freu-de,
e - wi-ge
Ten.
e - wi-ge
Baß.
dolce
e - - wi-ge Freu - de,
Vcll.
K.B.
315

320
325
Ob.
a 2 marc.
mf cresc.
Kl. in B.
a 2 marc.
p cresc. sempre
Fg.
a 2
p cresc. sempre
Hr. in F.
III. IV. a 2 marc.
p cresc.
Pk.
p cresc. sempre
I. Vln. II.
p cresc. sempre
p cresc. sempre
Vla.
p cresc. sempre
Sopr.
cresc. sempre
e - wi-ge Freu - de, e - wi-ge Freu - - de wird
Alt.
cresc. sempre
Freu - de, e - wi-ge Freu - de, e - - - wi - ge Freu - -
Ten.
cresc. sempre
Freu - de, e - wi-ge Freu - de, e - - - wi - ge Freu - -
Baß.
cresc. sempre
e - wi-ge Freu - de, e - wi-ge, e - - - wi - ge Freu - -
Vcll.
arco
p cresc. sempre
K.B.
p cresc. sempre
320
Org. c. coro e B.
325

330
Fl.
Ob.
Kl. in B.
Fg.
in B. Hr. in F.
Trp. in B.
Pos. u.Tuba.
Pk.
I. Vln. II.
Vla.
Sopr.
Alt.
Ten.
Baß.
Vcll.
K.B.
a 2
mf cresc. sempre
sempre
p cresc sempre
II. III. a 2
I.
Tuba
ü - ber ih - - rem Haup - - - - - - -
de wird ü - ber ih - - - rem Haup - - -
de wird ü - ber ih - - - rem Haup - - -
de wird ü - ber ih - - - rem Haup - - -
330

235
Fl.
Ob.
Kl. in B.
Fg.
in B. Hr. in F.
Trp. in B.
Pos. u.Tuba.
Pk.
I. Vln. II.
Vla.
Sopr.
Alt.
Ten.
Baß.
Vcll.
K.B.
p molto dimin.
p molto dimin.
p molto dimin.
p molto dim.
fp dimin.
pp
pp
p molto dimin.
fp dimin.
p dim.
te sein, e - - wi - ge Freu - - - - de.
p dim.
te sein, e - - wi - ge Freu - - - - de.
p dim.
te sein, e - - wi - ge Freu - - - - de.
p dim.
te sein, e - - wi - ge Freu - - - - de.
fp molto dimin.
pp
f Org. tacet
pp
Org. c.B.t.s.
235

III.

Andante moderato.
5
2 Flöten.
2 Oboen.
2 Klarinetten in A.
2 Fagotte.
2 Hörner in D.
Hörner in tief B.
2 Trompeten in D.
Posaune I.II.
Posaune III u. Tuba.
Pauken in D.A.
Allegro moderato.
Violine I.
Violine II.
Viola
legato
Bariton Solo.
Herr, leh - re doch mich, daß ein En - de mit mir ha - ben
Sopran.
Alt.
Tenor.
Baß.
Violoncello.
p legato
Kontrabaß.
pizz.
(Org.tacet)
5

II.
10
I.
Hr. in D.
Pk.
Vla.
Bar. Solo.
muß, und mein Le - ben ein Ziel hat, und ich da - von muß, und ich da -
Vcll.
K.B.
10
15
20
Hr. in D.
Trp. in D.
pp
Pk.
I. Vln. II.
pp
Vla.
Bar. Solo.
von muß.
Sopr.
p
Herr, leh - re doch mich, daß ein En -
Alt.
Herr, leh - re doch mich, daß ein En -
Ten.
Herr, Herr, leh - re doch mich, daß ein En -
Baß.
Herr Herr, leh - re doch mich, daß ein En -
Vcll.
pizz.
K.B.
15
20

25
a 2
Hr. in D.
Trp. in D.
Pk.
I. Vln. II.
Vla.
Sopr.
Alt.
Ten.
Baß.
Vcll. K.B.
pp
pp
a2
- de mit mir ha - ben muß, und mein Le - - ben ein Ziel hat,
- de mit mir ha - ben muß, und mein Le - - ben ein Ziel hat,
- de mit mir ha - ben muß, und mein Le - - ben ein Ziel hat,
- de mit mir ha - ben muß, und mein Le - - ben ein Ziel hat,
25
30
II.
II.
p
p
und ich da - von muß, und ich da - von
und ich da - von muß, und ich da - von
und ich da - von muß, und ich da - von
und ich da - von muß, und ich da - von
30

35
40
Fl.
Ob.
Kl. in A.
Fg.
pp legato
in D.
Hr.
in B.
I.
pp
Pos.
III.
sf
Pk.
I.
Vln.
II.
Vla.
Bar. Solo.
Sie-he, meine Ta - ge sind ei-ner Hand breit vor dir,
Sopr.
Alt.
Ten.
Baß.
muß.
Vcll.
K.B.
arco

45
Fl.
Ob.
Kl. in A.
Fg.
Hr. in D.
Bar. Solo.
und mein Le - ben ist wie nichts vor
Vcll.
K.B.
pp
dim.
50
I. Vln. II.
Vla.
a 2
p
cresc.
Bar. Solo.
dir.
Sopr.
Sie - he, mei-ne Ta - ge sind ei-ner Hand breit vor
Alt.
Sie - he, mei - ne Ta - ge sind ei - ner Hand breit vor
Ten.
Sie - he, mei - ne Ta - ge sind ei - ner Hand breit vor
Baß.
Sie - he, mei - ne Ta - ge sind ei - ner Hand breit vor
Vcll.
K.B.
Org. c. B. t. s.

55
a 2
Fl.
Ob.
Kl. in A.
Fg.
in D. Hr. in B.
III.
I.
Pos.
I. Vln. II.
Vla.
Sopr.
Alt.
Ten.
Baß.
Vcll.
K.B.
f
dim.
p
cresc.
p cresc.
dir,
und
mein
Le - ben,
55

60
Fl.
Ob.
Kl. in A.
I.
Fg.
in D.
Hr.
in B.
a 2
Trp. in D.
Pos.
Pk.
I.
Vln.
II.
Vla.
Sopr.
mein Le - - ben ist wie
Alt.
mein Le - - ben ist wie
Ten.
mein Le - - ben ist wie
Baß.
mein Le - - ben ist wie
Vcll.
K.B.
60

65
II.
Hr. in D.
Trp. in D.
Pk.
pp
pizz.
I. Vln. II.
Vla.
Bar. Solo.
Herr, leh - re doch mich,
Sopr.
nichts vor dir.
Alt.
nichts vor dir.
Ten.
nichts vor dir.
Baß.
nichts vor dir.
Vcll.
K. B.
Org. tacet
70
75
daß ein En - de mit mir ha - ben muß, und mein Le - ben ein Ziel hat,

80
Kl. in A.
Fg.
Hr. in D.
Trp. in D.
Pk.
I. Vln. II.
Vla.
Bar. Solo.
und ich da - von muß, und ich da - von muß,
Sopr.
und ich da -
Alt.
und ich da -
Ten.
und ich da -
Baß.
und ich da -
Vcll.
K.B.
80

85
Fl.
Ob.
Kl. in A.
Fg.
a 2
in D. Hr. in B.
I.
III.
Pk.
I. Vln. II.
arco
Vla.
Bar. Solo.
und ich da - von muß, und ich da-
Sopr.
von muß, ich da - von muß,
Alt.
von muß, ich da - von muß,
Ten.
von muß, ich da - von muß,
Baß.
von muß, ich da - von muß,
Vcll.
K.B.
85

90
a 2
95
Fl.
Ob.
Kl. in A.
Fg.
in D. Hr. in B.
Trp. in D.
Pk.
I. Vln. II.
Vla.
Bar. Solo.
Sopr.
Alt.
Ten.
Baß.
Vcll.
K. B.
arco
dim.
von muß, da - von muß.
da - von muß.
Org. c. B. t. s.

a 2
100
Fl.
I.
Ob.
a 2
I.
Kl.
in A.
mf
dimin.
a 2
I.
Fg.
mf
dimin.
a 2
in D.
Hr.
in B.
mf
dimin.
p
a 2
Trp.
in D.
p
Pk.
p
dimin.
I.
Vln.
II.
p
dimin.
Vla.
p
dimin.
Vcll.
p
dimin.
K. B.
p
dimin.
100

105
Fl.
Ob.
Kl. in A.
Fag.
Hr. in D.
Pk.
Vln. I.
II.
Vla.
Bar. Solo
Vcll.
K.B.
I.
a 2
p espress.
espress.
p
pp
pizz.
Solo
Ach, wie gar nichts sind al-le
Org. tac.
105

I.
110
Fl.
Ob.
Kl. in A.
Fg.
Hr. in D.
Bar. Solo
Men - schen, die doch so si - cher le - - - - - - - - - ben.
arco
Vcll.
K.B.
p
115
espress.
dim.
Vln.
II.

Fl.
Ob.
Kl. in A.
Fg.
in D.
Hr.
in B.
Pos.
Pk.
Vln.I.
Bar. Solo
Vcll.
K.B.
120
Sie ge-hen da-her wie ein Sche - - men, und machen ih -

I.
125
Fl.
pp
I.
Ob.
I.
Kl.
in A.
I.
Fg.
I.
in D.
Hr.
in B.
III.
II.
Pos.
III.
Pk.
tr
a 2 arco
Vla.
pp
Bar.
Solo
3
cresc.
- - nen viel ver - geb - - li - che Un - ru - he, sie sammeln, und wissen
Vcll.
cresc.
K.B.
cresc.
125

130
a 2
I.
Fl.
Ob.
Kl. in A.
Fg.
Hr. in D.
Pos.
II.
III.
Pk.
I. Vln. II.
Vla.
Bar. Solo
Sopr.
Alt.
Ten.
Baß.
Vcll.
K.B.
p cresc.
mf ma dolce
nicht wer es krie-gen wird.
Ach, wie gar nichts
130

a 2
Fl.
Ob.
Kl. in A
Fg.
I. Vln. II.
Vla.
Sopr.
sind alle Menschen, die doch so
Alt
sind al-le Men-schen, die doch so
Ten.
sind al-le Menschen, die doch so
Baß
sind al-le Men-schen, die doch so
Vcll. u.K.B.
135
si-cher le-
si-cher, die doch so si-cher, so si-cher
si-cher, die doch so si-cher, so si-cher
si-cher, so si-cher

Fl.

Ob.

I.

Kl. in A.

Fg.

I.

in D. Hr. in B.

p

p

I. Vln. II.

Vla.

Sopr.

ben.

Alt.

ben.

Ten.

ben.

Baß

ben.

Vcll.

K.B.

140
Fl.
Ob.
I.
Kl.
in A.
Fg.
Hr.
in D.
I.
Trp.
in D.
pp
Pk.
pp
I.
Vln.
II.
pp
Vla.
pp
Bariton Solo
Bar.
Solo
Nun Herr,
Vcll.
p
pp
K.B.
p
pp
140

Fl. *pp* *cresc.*

Ob. a 2 *f*

Fg. a 2 *mf cresc.*

Hr. in D. *pp* *cresc.*

Trp. in D. *cresc.*

Pos. II. *pp* III. *pp* *cresc.*

Pk. *cresc.*

Vln. I. *p molto cresc.*

Vln. II. *p molto cresc.*

Vla. *p molto cresc.*

Bar. Solo: wes soll ich mich trö - sten?

Sopr. *p molto cresc.* Nun Herr, *f* nun Herr, wes soll ich mich

Alt. *f* Nun Herr,

Ten. *p molt cresc.* Nun Herr, *f* nun Herr,

Baß *mf molto cresc.* Nun Herr, wes soll ich mich trö - - sten, mich

Vcll. *p molto cresc.*

K.B. *p molto cresc.*

Fl.

Ob. a 2

Kl. in A. a 2 *f*

Fg. a 2

Hr. in D.

Trp. in D.

Pos. III.

Pk.

I. Vln. II.

Vla.

Sopr. trö - - - sten, mich trö - - sten?

Alt. nun Herr, wes soll ich mich trö - - - - sten, mich

Ten. nun Herr, wes soll ich mich

Baß trö - - sten? *f* Nun Herr,

Vcll.

K.B.

a 2
Fl.
Kl. in A.
Fg.
in D.
Hr.
in B.
f
Trp. in D.
III.
Pos.
Pk.
I.
Vln.
II.
Vla.
Sopr.
Nun Herr,
nun Herr,
Alt.
trö - sten?
Nun Herr,
Ten.
trö - - sten, mich trö - - sten?
Baß.
nun Herr, wes soll ich mich trö - - - - sten?
Vcll.
K.B.

150
Fl.
Ob.
Kl. in A.
Fg.
in D. Hr. in B.
Trp. in D.
Pos.
Pk.
I. Vln. II.
Vla.
Sopr.
Alt.
Ten.
Baß.
Vcll.
K.B.
a 2
nun Herr, wes soll ich mich trö - - sten?
Nun Herr, wes soll ich mich trö - - - sten?
Nun Herr, wes soll ich mich
150
Org. c. Corn., Pos. e B.

a 2
Fl.
a 2
Ob.
Kl. in A.
Fg.
in D.
Hr.
in B.
Trp. in D.
Pos.
Pk.
I.
Vln.
II.
Vla.
Sopr.
Nun Herr, wes soll ich mich trö - - - sten?
Alt.
nun Herr, wes soll ich mich
Ten.
Nun Herr, wes soll ich mich trö - - - sten?
Baß.
trö - - sten?
Vcll.
K.B.

155
a 2
Fl.
ff
Ob.
Kl.
in A.
Fg.
in D.
Hr.
in B.
f
Trp.
in D.
Pos.
Pk.
I.
Vln.
II.
Vla.
Sopr.
Nun Herr,
nun Herr,
Alt.
trö - sten? Nun Herr,
nun Herr,
Ten.
Nun Herr
nun Herr,
Baß.
Nun Herr,
nun
Vcll.
K.B.
155

Fl.
Ob.
Kl. in A.
Fg.
in D.
Hr.
in B.
Trp. in D.
Pos.
Pk.
I.
Vln.
II.
Vla.
Sopr.
Alt.
Ten.
Baß.
Vcll.
K.B.
a 2
muta in D
wes soll ich mich trö - sten?
wes soll ich mich trö - sten?
nun Herr, wes soll ich mich trö - sten?
Herr, nun Herr, wes soll ich mich trö - sten?
Org. tacet

160
Fl.
Ob.
Kl. in A.
Fg.
Hr. in D.
Pos.
Sopr.
Alt.
Ten.
Baß.
Vcll.
K.B.
p dimin.
a 2
pp
III.
wes soll ich mich trö-sten?
160
Org. c. B.
165
I.
II.
cresc.
cresc. molto
Ich hof - fe auf dich, auf dich, ich
Ich hof - fe, ich hof - fe auf dich,
Ich hof - fe auf dich, ich hof - fe auf
Ich hof - fe, ich hof - fe, ich hof - fe, ich
sempre cresc.
(Einige Kontrabässe stimmen die E-Saite nach D um)
Org. c. Pos. e Corn.
Org. c. B.
165

170
Fl.
Ob.
Kl. in A.
Fg.
I.II.
Hr. in D.
mf cresc.
Trp. in D.
Pos.
Pk.
sempre
Sopr.
hof - - fe, ich hof - fe auf dich, ich hof - fe auf
Alt.
ich hof - fe, ich hof - fe auf
Ten.
dich, ich hof - - fe, ich hof - fe auf
Baß.
hof - - fe auf dich, ich hof-fe hof - fe auf
Vcll.
K. B.
170
Org. c. coro

Fl.
Ob.
Kl. in A.
Fg.
Hr. in D.
Trp. in D.
Pos. u. Tuba.
Pk.
I. Vln. II.
Vla.
Sopr.
Alt.
Ten.
Baß.
Vcll.
K.B.

a 2
I.II.
I. *mf*
II. *mf*
Baß-Pos. *mf*
Tuba *mf*

dich.
dich.
dich. Der Ge - rech - ten See-len sind in Got - tes Hand, und kei - ne
dich.

sempre con tutta la forza
Org. c. coro

175

a 2

Ob.

Kl. in A.

a 2

f

a 2

Fg.

Hr. in D.

mf

mf

Trp. in D.

mf

Pos. u. Tuba.

Pk.

I. Vln. II.

Vla.

Sopr.

Alt.

f

Der Ge - rech - ten See-len sind in Got - tes

Ten.

Qual rüh - - ret sie an, kei - - ne Qual, kei - - ne Qual rüh - - -

Baß.

Vcll.

K. B.

175

Fl.
Ob.
Kl. in A.
Fg.
Hr. in D.
Trp. in D.
Pos. u. Tuba.
Pk.
I. Vln. II.
Vla.
Sopr.
Alt.
Ten.
Baß.
Vcll.
K.B.
a 2
Der Ge-rech - ten See-len
Hand, und kei-ne Qual rüh - ret sie an, kei - ne Qual, kei - ne
- - ret sie an, der Ge - rech - ten See-len sind in Got-tes,

a 2
180
Fl.
Ob.
Kl. in A.
Fg.
Hr. in D.
Trp. in D.
Pos. u. Tuba.
Pk.
I. Vln. II.
Vla.
Sopr.
sind in Got - tes Hand, und kei - ne Qual rüh - - ret sie an, kei - - ne
Alt.
Qual rüh - - - - ret sie an, rüh - ret sie an, der Ge -
Ten.
Got - tes Hand, und kei - - ne Qual rüh - ret sie an, der
Baß.
f
Der Ge -
Vcll.
K.B.
180

a 2
Fl.
a 2
Ob.
a 2
Kl. in A.
a 2
Fg.
Hr. in D.
Trp. in D.
Pos. u. Tuba.
Pk.
I. Vln. II.
Vla.
Sopr.
Qual, kei - - ne Qual rüh - - - - ret sie an,
Alt.
rech-ten See-len sind in Got - tes Hand, und kei-ne Qual rüh-ret sie
Ten.
Ge-rech-ten See-len sind in Got - - tes Hand, sind in
Baß.
rech - ten See-len sind in Got - tes Hand, und kei-ne Qual rüh - - ret sie
Vcll.
K.B.

a 2
Fl.
Ob.
Kl. in A.
Fg.
Hr. in D.
Trp. in D.
Pos. u. Tuba.
Pk.
I. Vln. II.
Vla.
Sopr.
der Ge-rech - ten See-len sind in Got - tes Hand, und kei - ne
Alt.
an, der Ge- -rech-ten See-len sind in Got-tes
Ten.
Got - tes Hand, der Ge-rech - ten See-len sind in Got - - tes
Baß.
an, und kei - ne Qual — rüh-ret sie an, der Ge -
Vcll.
K.B.

185
a 2
a 2
Fl.
Ob.
Kl. in A.
Fg.
Hr. in D.
Trp. in D.
Pos. u. Tuba.
Pk.
I. Vln. II.
Vla.
Sopr.
Qual
Alt.
Hand, und kei - - - ne Qual, und kei-ne Qual rüh -
Ten.
Hand, und kei - - - ne Qual, und kei - ne
Baß.
rech - ten See-len sind in Got-tes Hand, und kei - ne
Vcll.
K.B.
185

Fl.
Ob.
Kl. in A.
Fg.
Hr. in D.
Pos. u. Tuba.
Pk.
I. Vln. II.
Vla.
Sopr.
Alt.
Ten.
Baß.
Vcll.
K.B.
a 2
I. II.
cresc.
— rüh - ret sie an, kei - - ne Qual, kei - - ne Qual rüh - - -
ret sie an, der Ge - rech - ten See-len sind in Got - tes
— Qual rüh - ret sie an, der Ge-rech - ten See-len
Qual rüh - ret sie an, der Ge-rech - ten See-len

190
a 2
Fl.
Ob.
Kl. in A.
Fg.
Hr. in D.
Pos. u. Tuba.
Pk.
I. Vln. II.
Vla.
Sopr.
-ret sie an, und kei-ne Qual rüh-ret sie an,
Alt.
Hand, und kei-ne Qual rüh-ret sie an,
Ten.
sind in Got-tes Hand, und kei-ne Qual, kei-ne Qual rüh-
Baß.
sind in Got-tes Hand, kei-ne
Vcll.
K.B.
190

Fl.
Ob.
Kl. in A.
Fg.
Hr. in D.
Trp. in D.
Pos. u. Tuba.
Pk.
I. Vln. II.
Vla.
Sopr.
Alt.
Ten.
Baß.
Vcll.
K.B.
a 2
der Ge-rech-ten See-len sind in Got--tes Hand, und kei-ne
kei-ne
ret sie an, der Ge-rech--ten See-len sind in Got-tes
Qual rüh-ret sie an, der Ge-rech--ten See-len sind in Got-tes

a 2
Fl.
a 2
Ob.
a 2
Kl. in A.
Fg.
Hr. in D.
Trp. in D.
Pos. u. Tuba.
Pk.
I. Vln. II.
Vla.
Sopr.
Qual rüh - - ret sie an, der Ge - rech - ten See-len sind in Got-tes
Alt.
Qual rüh-ret sie an, kei - - ne, kei-ne Qual, und kei-ne
Ten.
Hand, der Ge - rech-ten See-len sind in Got - tes Hand, und kei-ne
Baß.
Hand, der Ge - rech - ten See-len sind in
Vcll.
K.B.

195
a 2
Fl.
Ob.
Kl. in A.
Fg.
Hr. in D.
I.II.
Trp. in D.
Pos. u. Tuba.
Pk.
I. Vln. II.
Vla.
Sopr.
Hand, und kei - - ne Qual rüh-ret sie an,
Alt.
Qual, und kei-ne Qual rüh - ret sie an,
Ten.
Qual, kei-ne Qual, kei-ne Qual rüh-ret sie an, der Ge-
Baß.
Got - - tes Hand, der Ge-rech - ten See-len
Vcll.
K.B.
195

Fl.
a 2
ff
Ob.
a 2
ff
Kl. in A.
a 2
Fg.
a 2
a 2
Hr. in D.
Trp. in D.
Pos. u. Tuba.
Pk.
I. Vln. II.
f
f
Vla.
Sopr.
f
der Ge -
Alt.
f
der Ge - rech - ten See-len
Ten.
rech - ten See - len sind in Got-tes Hand, und kei - ne Qual rüh -
Baß.
sind in Got - tes Hand, und kei - ne Qual, und kei - ne
Vcll.
K.B.

a 2
200
Fl.
Ob.
Kl. in A.
Fg.
Hr. in D.
Trp. in D.
Pos. u. Tuba.
Pk.
I. Vln. II.
Vla.
Sopr.
rech - ten See-len sind in Got - tes Hand und kei - ne Qual rüh - - ret sie
Alt.
sind in Got - tes Hand, und kei-ne Qual rüh-ret sie an, und
Ten.
ret sie an, der Ge-rech-ten See-len sind in Got-tes Hand, kei -
Baß.
Qual rüh-ret sie an, und kei - - - ne Qual rüh - ret
Vcll.
K.B.
200

a 2
Fl.
a 2
Ob.
a 2
Kl. in A.
Fg.
Hr. in D.
Pos. u. Tuba.
Pk.
I. Vln. II.
Vla.
Sopr.
an, rüh - - - ret sie an, und kei - - ne
Alt.
kei - - ne Qual, kei-ne Qual rüh-ret sie an,
Ten.
- - ne Qual, kei - - ne Qual,
Baß.
sie an, rüh - - ret, rüh-ret sie an, und kei - - ne Qual,
Vcll.
K.B.

Fl.
Ob.
Kl. in A.
Fg.
Hr. in D.
Pos. u. Tuba
Pk.
I. Vln. II.
Vla.
Sopr.
Qual, und kei - - ne Qual, und kei - ne
Alt.
und kei - ne Qual, und
Ten.
und kei - ne
Baß.
und kei - ne Qual rüh - - ret sie an, kei - ne
Vcll.
K.B.

205
Fl.
Ob.
Kl. in A.
Fg.
Hr. in D.
Trp. in D.
Pos. u. Tuba
Pk.
I. Vln. II.
Vla.
Sopr.
Qual, kei - ne Qual, kei - ne Qual, kei - ne Qual
Alt.
kei - ne Qual, kei - ne Qual, kei - ne Qual, kei - ne
Ten.
Qual, kei - ne Qual, kei - ne Qual, kei - ne Qual, kei - ne
Baß.
Qual, kei - ne Qual, kei - ne Qual, kei - ne Qual rüh - ret sie
Vcll.
K.B.
205

Fl.
Ob.
Kl. in A.
Fg.
Hr. in D.
Trp. in D.
Pos. u. Tuba.
Pk.
I. Vln. II.
Vla.
Sopr.
rüh - - - ret sie an.
Alt.
Qual rüh - ret sie an.
Ten.
Qual, kei - ne Qual rührt sie an.
Baß.
an, rüh - ret, rüh - ret sie an.
Vcll.
K.B.

IV.

Mäßig bewegt.
2 Flöten.
2 Oboen.
2 Klarinetten in B.
2 Fagotte.
2 Hörner in Es.
Mäßig bewegt.
Violine I.
Violine II.
Viola.
Sopran.
Alt.
Tenor.
Baß.
Violoncello.
Kontrabaß.
p dolce
pizz.
arco
Wie lieb - lich
Wie lieb -
Org. tac.
5

10
Kl. in B.
Hr. in Es.
I. Vln. II.
p dolce
Vla.
Sopr.
sind dei-ne Woh-nun-gen, Herr Ze-ba-oth, Herr
Alt.
sind dei-ne Woh-nun-gen, Herr Ze-ba-oth, Herr
Ten.
sind dei-ne Woh-nun-gen, Herr Ze-ba-oth, Herr
Baß.
-lich dei-ne Woh-nun-gen, Herr Ze-ba-oth, Herr
Vcll.u. K.B.
10
15
Fl.
Ob.
Kl. in B.
Hr. in Es.
I.
I. Vln. II.
Vla.
Sopr.
Ze-ba-oth, dei-ne Woh-nun-
Alt.
Ze-ba-oth, dei-ne Woh-nun-
Ten.
Ze-ba-oth, dei-ne Woh-nun-
Baß.
Ze-ba-oth, dei-ne Woh-nun-
Vcll.u. K.B.
15

20
Fl.
Kl. in B.
Fg.
Hr. in Es.
I. Vln. II.
Vla.
Sopr.
gen, Herr Ze - - - - - - - ba - oth!
Alt.
gen, Herr Ze - - - - - - - ba - oth!
Ten.
gen, Herr Ze - - - - - - ba - - oth!
Baß.
gen, Herr Ze - ba - oth, Herr Ze - - ba - - oth!
Vcll.
K.B.
p espress.
Org. col B.
25
30
espress.
Wie lieb - - - lich sind dei - ne Woh - nun - gen, Herr
25 Org. c. tenori e B.
Org. c. B.

Kl. in B.
I. Vln. II.
Vla.
Sopr.
Alt.
Ten.
Baß.
Vcll.
K.B.
35
pespress.
Wie lieb - - lich sind
pespress.
Wie lieb - lich sind
Ze - - ba - oth!
Wie lieb -
espress.
p
Wie lieb - - - - lich sind
40
dei - ne Woh - nun - gen, Herr Ze - - ba - - oth!
dei - ne Woh - nun - gen, Herr Ze - - - ba - oth!
lich sind dei - ne Woh - nun - gen, Herr Ze - ba - oth!
dei - ne Woh - nun - gen, Herr Ze - - ba - - oth!
pizz.
p
Org. c coro
Org. tac.

45
50
Fl.
Ob.
Kl. in B.
Fg.
Hr. in Es.
I.
Vln.
II.
Vla.
pizz.
arco
a 2
Sopr.
Mei - ne See - - le
Alt.
Mei - ne See - - le
Ten.
Mei - ne See - - le ver-
Baß.
Mei - ne See - - le ver - langet und seh-net, ver-
arco
Vcll.
K.B.
45
50

55
Fl.
cresc.
f
Ob.
cresc.
f
Kl. in B.
cresc.
f
Fg.
cresc.
f
Hr. in Es.
cresc.
f
I. Vln. II.
cresc.
f
Vla.
cresc.
f
Sopr.
cresc.
ver - lan-get und seh-net, und seh - net
f
Alt.
cresc.
ver - lan-get und seh-net, ver - lan-get und seh -
f
Ten.
cresc.
lan-get und seh-net, ver - lan - get und seh -
f
Baß.
cresc.
lan-get und seh-net, ver - lan - get und seh - net, seh - net
f
Vcll.
cresc.
f
K. B.
cresc.
f
55

60
Fl.
Ob.
I.
Kl. in B.
Fg.
Hr. in Es.
I.
Vln.
II.
pizz.
pizz.
Vla.
pizz.
a 2
arco
Sopr.
sich nach den Vor - - hö-fen des Herrn;
Alt.
net sich nach den Vor - - hö-fen des Herrn;
Ten.
net sich nach den Vor - - hö-fen des Herrn;
Baß.
sich nach den Vor - - hö-fen des Herrn;
Vcll.
pizz.
K.B.
pizz.
60

65
Ob.
I. Vln. II.
arco
Vla.
Sopr.
mein Leib und See - le freu - en
Alt.
mein Leib und See - le freu - en
Ten.
mein Leib und See - le freu - en
Baß.
mein Leib und See - le freu - en
Vcll.
K.B.
65
70
Ob.
a 2
Fg.
Hr. in Es.
I. Vln. II.
Vla.
Sopr.
sich in dem le - ben - - di - gen Gott,
Alt.
sich in dem le - ben - di - gen Gott, mein Leib und
Ten.
sich in dem le - ben - di - gen Gott, mein Leib und
Baß.
sich in dem le - ben - di - gen Gott, mein Leib und
arco
pizz.
Vcll. u. K.B.
70

Fl.
Ob.
Fg.
Hr. in Es.
Vln. I.
II.
Vla.
Sopr.
Alt.
Ten.
Baß.
Vcll.
K.B.
mf cresc.
p cresc.
II.
mf
fp
fp cresc.
cresc.
freu-en sich in dem le-
See - le freu - en sich in dem le - ben-di-gen, in dem le-
See - le freu - en sich in dem le - ben - di-gen,
See - le freu - en sich in dem le - ben -
arco
f

I.
85
Fl.
p
Ob.
I.
p
Kl. in B.
p
II.
Fg.
dim.
p
Hr. in Es.
II.
p
I.
Vln.
II.
p
Vla.
Sopr.
ben - - - - di-gen Gott.
Alt.
ben - - - di - gen Gott.
Ten.
in dem le - ben - di - gen Gott.
Baß.
- di-gen, in dem le - ben-di-gen Gott.
Vcll.
dim.
pizz.
K.B.
dim.
85
p

I.
90
Fl.
Ob.
Kl. in B.
Fg.
Hr. in Es.
p
p dolce
I. Vln. II.
Vla.
Sopr.
Wie lieb - lich sind dei-ne Woh - nun -
Alt.
Wie lieb - lich sind dei-ne Woh - nun -
Ten.
Wie lieb - lich sind dei-ne Woh - nun -
Baß.
Wie lieb - - lich sind dei - ne
Vcll.
K.B.
arco
90

95
Fl.
Ob.
Kl. in B.
Hr. in Es.
I.
Vln.
II.
Vla.
Sopr.
gen, Herr Ze - - ba - oth, Herr Ze - ba - oth,
Alt.
gen, Herr Ze - - ba - oth, Herr Ze - ba - oth,
Ten.
gen, Herr Ze - - ba - oth, Herr Ze - ba - oth,
Baß.
Woh - nun - gen, Herr Ze - ba - oth, Herr Ze - ba - oth,
Vcll.
K.B.
95

100
105
Fl.
Ob.
Kl. in B.
Fg.
Hr. in Es.
I. Vln. II.
Vla.
Sopr.
dei-ne Woh - nun - gen, Herr Ze - - -
Alt.
dei-ne Woh - nun - gen, Herr Ze - - -
Ten.
dei-ne Woh - nun - gen, Herr Ze - - -
Baß.
dei-ne Woh - nun - gen, Herr Ze - ba - oth, Herr
Vcll.
K.B.
100
105

110
a 2
Fl.
Ob.
Kl.
in B.
Fg.
Hr.
in Es.
I.
Vln.
II.
Vla.
legato espress.
legato espress.
Sopr.
Alt.
Ten.
Baß.
- - - ba - oth! Wohl
- - - ba - oth! Wohl
- - ba - - - oth! Wohl
Ze - - - ba - oth! Wohl
Vcll.
K.B.
p legato
p legato
110

a 2
Fl.
I.
Ob.
I.
Kl. in B.
Hr. in Es.
I.
Vln.
II.
Vla.
115
Sopr.
de - nen, wohl de - nen,
Alt.
de - nen, wohl de - nen,
Ten.
de - nen, wohl de - nen,
Baß.
de - nen, wohl de - nen,
Vcll.
K.B.
Org. c. coro
115

120
a 2
Fl.
cresc.
Ob.
cresc.
I.
Kl. in B.
cresc.
Hr. in Es.
p
cresc.
f
I.
Vln.
II.
cresc.
cresc.
Vla.
cresc.
Sopr.
cresc.
f
die in dei - nem Hau - se woh - nen, die
Alt.
cresc.
die in dei - nem Hau - se woh - nen,
Ten.
cresc.
die in dei - nem Hau - se woh - nen,
Baß.
cresc.
die in dei - nem Hau - se woh - nen,
Vcll.
cresc.
K.B.
cresc.
120
Org. tacet.

a 2
125
Fl.
Kl. in B.
I
a 2
Fg.
Hr. in Es.
I. Vln. II.
Vla.
Sopr.
lo - ben dich immer - dar,
Alt.
die lo - ben dich immer - dar, im-mer - dar, im-mer,
Ten.
die lo-ben dich immer-dar, lo-ben dich, lo-ben
Baß.
die lo-ben dich im-mer-dar, die lo-ben, die lo-ben, die
Vcll.
K.B.
125

a 2
130
135
Fl.
Ob.
Kl. in B.
Fg.
Hr. in Es.
I.
Vln.
II.
Vla.
Sopr.
die lo - ben dich, die lo - ben dich im - mer-
Alt.
im - merdar, im - merdar, die lo - ben dich im - mer-dar,
Ten.
dich im - mer-dar, die lo - ben dich im - mer - dar,
Baß.
lo - ben, die lo - ben dich, die lo - ben dich im - mer -
Vcll.
K.B.

140
Fl.
Ob.
a 2
Kl. in B.
a 2
Fg.
a 2
Hr. in Es.
a 2
I.
Vln.
II.
Vla.
Sopr.
dar, im - mer - dar,
die lo - ben,
Alt.
die lo - ben dich im - mer - dar, die lo-
Ten.
die lo - ben dich im - mer - dar, die lo - ben dich im - mer - dar,
Baß.
dar, im - mer - dar, die lo - ben dich im - mer - dar,
Vcll.
K.B.
140

145
Fl.
Ob.
Kl. in B.
Fg.
Hr. in Es.
I.
Vln.
II.
Vla.
Sopr.
die lo - ben, die lo - ben, die lo -
Alt.
- ben, die lo - - ben, die lo - ben, lo -
Ten.
die lo - ben die lo-ben, die lo - ben, die lo-ben, die lo-ben
Baß.
die lo-ben, die lo-ben, die lo - ben, die
Vcll.
K.B.
145

150
espress.
p
p
I.
p espress.
Fl.
Ob.
Kl. in B.
a 2
Fg.
Hr. in Es.
p
pp
pizz.
I.
Vln.
II.
Vla.
p dimin.
Sopr.
- ben dich im - - - mer - - - dar!
Alt.
- ben dich im - - - mer - - - dar!
Ten.
dich im - - - mer - - - dar!
Baß.
lo-ben dich im - - - mer - - - dar!
arco
Vcll.
K.B.
Org.c.coro
150
Org.tacet

155
Fl.
I.
Ob.
Kl. in B.
p
Hr. in Es.
arco
I.
Vln.
II.
p
espress.
Vla.
p dolce
Sopr.
Wie lieb - - lich, wie lieb - - lich,
Alt.
Wie lieb -
Ten.
Baß.
Vcll.
K.B.
155

160
165
I.
a 2
Fl.
p
p cresc.
p legato
Ob.
p cresc.
Kl. in B.
cresc.
Fg.
Hr. in Es.
pizz.
I. Vln. II.
Vla.
Sopr.
Alt.
Ten.
Baß.
wie lieb -
lich, wie lieb - - lich, wie lieb - - lich, wie lieb -
Vcll.
K.B.
arco
Org.c.Corn.e B.
Org.c.B.t.s.

170
Fl.
cresc.
f
dim.
Ob.
cresc.
f
dim.
Kl. in B.
cresc.
f
dim.
Fg.
cresc.
f
dim.
Hr. in Es.
cresc.
f
dim.
I. Vln. II.
cresc.
f
dim.
cresc.
f
dim.
Vla.
cresc.
f
dim.
Sopr.
cresc.
lich sind dei - ne Woh -
f
Alt.
cresc.
lich, wie lieb - lich sind dei - ne Woh -
f
Ten.
cresc.
lich sind dei - ne Woh -
f
Baß.
cresc.
lich, wie lieb - lich sind dei - ne Woh -
f
Vcll.
cresc.
f
dim.
K.B.
cresc.
f
dim.
170

175
Fl.
Ob.
Kl. in B.
Fg.
Hr. in Es.
I.
Vln.
II.
Vla.
pizz.
arco
Sopr.
- nun - gen!
Alt.
- nun - gen!
Ten.
- nun - gen!
Baß.
- nun - gen!
Vcll.
K.B.
Org. c. Corni e B.
Org. c. Vli. e B.
175

V.

Langsam.
2 Flöten.
2 Oboen.
2 Klarinetten in B.
2 Fagotte.
2 Hörner in D.
pp
I. Solo
p dolce
pp
pp
Langsam.
con sord.
Violine I.
p dolce
con sord.
Violine II.
p dolce
Viola
p dolce
dim.
dim.
dim.
Sopran Solo.
Ihr
Sopran.
Alt.
Tenor.
Baß.
Violoncello.
pp
pizz.
Kontrabaß.
pp
Org. tacet
pizz.

Fl.
Ob.
Kl. in B.
Fg.
Hr. in D.
I. Vln. II.
Vla.
Sopr. Solo.
Vcll. e K.B.
I.
I Solo
I.
p
pizz.
pizz.
pizz.
habt nun Trau - - - rig - keit, Trau - rig -
Fl.
Kl. in B.
Fg.
Hr. in D.
I. Vln. II.
Vla.
Sopr. Solo.
Vcll.
K.B.
I.
pp
p
arco
arco
arco
a 2
keit, Trau - rig - keit, ihr habt nun Trau - rig - keit; a -
arco

15
Fl.
Kl. in B.
Fg.
I.
Vln.
II.
Vla.
poco cresc.
espress.
p
Sopr. Solo.
- ber, a - ber ich will euch wieder sehen und euer Herz soll sich freuen,
Sopr.
Alt.
Ten.
Baß.
m.v.
Ich
Vcll.
K.B.
arco
15

20
Fl.
Ob.
I.
p
Kl. in B.
Fg.
I.
p
I.
Vln.
II.
poco cresc.
poco cresc.
Vla.
poco cresc.
Sopr. Solo.
und eu - re Freu - de soll nie - mand, niemand von euch neh -
Sopr.
will euch trö - sten, wie ei-nen seine Mut - ter trö -
Alt.
will euch trö - sten, wie ei-nen seine Mut-ter trö - -
Ten.
will euch trö - sten, wie ei-nen seine Mut - ter trö -
Baß.
will euch trö - sten, wie ei - nen sei - ne Mut-ter trö -
Vcll.
p
K.B.
p
20

25
Fl.
Ob.
I.
Kl. in B.
Fg.
Hr. in D.
I. Vln. II.
Vla.
Sopr. Solo.
men.
Se-het mich
Sopr.
- stet, wie ei-nen seine Mutter trö - - stet.
Alt.
stet, wie ei-nen seine Mutter trö - - stet.
Ten.
stet, wie ei-nen seine Mutter trö - - stet.
Baß.
stet, wie ei-nen seine Mutter trö - - stet.
Vcll.
K.B.
25

30
Fl.
Kl. in B.
Fg.
I. Vln. II.
Vla.
Sopr. Solo.
an: ich habe ei-ne klei - ne Zeit Mü - he und Arbeit ge - habt und habe
Vcll. u.K.B.
30
Fl.
Kl. in B.
Fg.
I. Vln. II.
Vla.
Sopr. Solo.
gro - - - - - ßen Trost fun - - den,
Sopr.
Ich
Alt.
Ich
Ten.
espress.
Ich will euch trö - sten,
Baß.
espress.
Ich will euch trö - sten,
Vcll. u.K.B.
35

Fl.
Kl. in B.
a 2
Fg.
Hr. in D.
a 2
I. Vln. II.
Vla.
Sopr. Solo.
ich habe ei-ne klei - ne Zeit
Sopr.
espress.
will euch trö - - sten,
Alt.
espress.
will euch trö - - sten,
Ten.
euch trö - sten,
Baß.
euch trö - - sten,
Vcll. u.K.B.
40
Hr. in D.
I. Vln. II.
Vla.
Sopr. Solo.
Mü - he und Ar - beit ge - habt und habe gro - ßen, und habe gro - -
Ten.
ich
Baß.
ich
Vcll. u.K.B.
40
poco cresc.

45
Fl.
Kl. in B.
Hr. in D.
I. Vln. II.
Vla.
Sopr. Solo.
- ßen, gro - ßen Trost fun - den.
Sopr.
ich will euch trö - sten, trö - sten, trö - -
Alt.
ich will euch trö - - sten, trö - sten, trö - -
Ten.
will euch trösten, euch trö - - sten, trö - sten, trö - -
Baß.
will euch trösten, euch trö - - sten, trö - sten, trö - -
Vcll.
K.B.
p
dim.
espress.
p dim.
45

50
Fl.
pp
I
Ob.
I.Solo
p
Kl. in B.
pp
pp
Fg.
p
pp
Hr. in D.
pp
pizz.
I.
Vln.
II.
pizz.
Vla.
pizz.
Sopr. Solo.
Ihr habt nun Trau -
Sopr.
sten.
Alt.
sten.
Ten.
sten.
Baß.
sten.
Solo
pizz.
Vcll.
pizz.
pizz.
K.B.
50

55
Fl.
Ob.
Kl. in B.
Fg.
Hr. in D.
I. Vln. II.
Vla.
Sopr. Solo.
Vcll.
K.B.
I
p
pp
arco
p
- - rig - keit, ihr habt nun Trau - - - rig-keit,
55
60
dim.
pizz.
Trau - - - - rig-keit, a - ber, a -
60

Fl.
Ob.
Kl. in B.
Fg.
Hr. in D.
I.
Vln.
II.
Vla.
Sopr. Solo.
Sopr.
Alt.
Ten.
Baß.
Vcll.
K.B.
p
I
espress.
- - ber ich will euch wieder se - hen und eu-er Herz soll sich freu - en, und
p espress.
Ich
Ich will euch trö - - sten, ich
arco

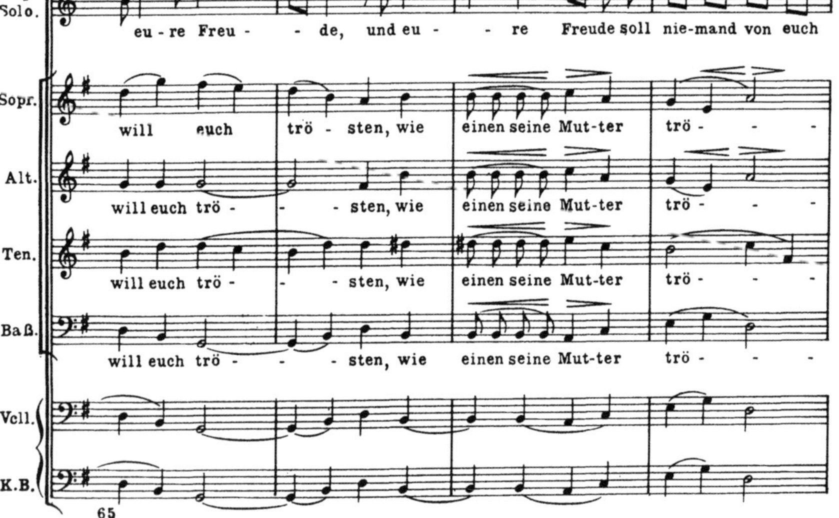
65
Fl.
Ob.
Kl. in B.
p
Fg.
I. Vln. II.
Vla.
Sopr. Solo.
eu - re Freu - - de, und eu - - re Freude soll nie-mand von euch
Sopr.
will euch trö - sten, wie einen seine Mut-ter trö - - -
Alt.
will euch trö - - sten, wie einen seine Mut-ter trö - - -
Ten.
will euch trö - - sten, wie einen seine Mut-ter trö - - -
Baß.
will euch trö - - - sten, wie einen seine Mut-ter trö - - -
Vcll.
K.B.
65

70
Fl.
Ob.
Kl. in B.
Fg.
Hr. in D.
I
I. Vln. II.
pp
p dolce
Vla.
Sopr. Solo.
nehmen, von euch neh - men,
Sopr.
stet, wie einen seine Mutter trö - - - stet, ich
Alt.
stet, wie einen seine Mutter trö - - - stet, ich
Ten.
stet, wie einen seine Mutter trö - stet, ich will euch trösten,
Baß.
stet, wie einen seine Mutter trö - stet, ich will euch trösten,
Vcll.
K.B.
p
70

Fl.
Ob.
Kl. in B.
Fg.
Hr. in D.
I. Vln. II.
Vla.
Sopr. Solo.
Sopr.
Alt.
Ten.
Baß.
Vcll.
K.B.
75
mf
p
p dim.
cresc.
dim.
espress.
ich will euch wie - - der se - hen,
will euch trö-sten, ich will euch trö - sten, ich will, will euch
will euch trö-sten, ich will euch trö - sten, ich will, will euch
ich will euch trö - sten, ich will euch trö-sten, will euch
ich will euch trö - sten, ich will euch trö-sten,

Fl.
Ob.
Kl. in B.
Fg.
Hr. in D.
I. Vln. II.
Vla.
Sopr. Solo.
Sopr.
Alt.
Ten.
Baß.
Vcll.
K.B.
80
pp
dim.
wie - der se - hen, wie - der se - hen!
trö - sten, will euch trö - - sten!
trö - sten, will euch trö - - sten!
trö - sten, will euch trö - - sten!
will euch trö - sten!
a 2
80

VI.

Andante.

Fl. I. II.

Piccolo. 2 Flöten.

2 Oboen.

2 Klarinetten in A.

2 Fagotte.

2 Hörner in C.

2 Hörner in E.

2 Trompeten in C.

3 Posaunen u. Tuba

Pauken in C. G. D.

Andante.

con sordini

Violine I.

con sordini

Violine II.

Viola.

Bariton Solo.

Sopran.

Denn wir haben hie kei - - ne

Alt.

Denn wir haben hie kei - - ne

Tenor.

Denn wir haben hie kei - - ne

Baß.

Denn wir haben hie kei - - ne

pizz.

Violoncello.

pizz.

Kontrabaß.

senza Org.

10
Fl.
Kl. in A.
Fg.
Hr. in C.
I. Vln. II.
Vla.
Sopr.
blei-bende Statt, son - dern die zu - künf - ti - ge su -
Alt.
blei-bende Statt, son - dern die zu - künf - ti - ge su -
Ten.
blei-bende Statt, son - dern die zu - künf - ti - ge su -
Baß.
blei-bende Statt, son - dern die zu - künf - ti - ge su -
Vcll.
K.B.
10

15
Fl.
Ob.
Fg.
Hr. in C.
I.
Vln.
II.
Vla.
pizz.
Sopr.
Alt.
Ten.
Baß.
Vcll.
K.B.
- - - - - chen wir,
- - - - - chen wir,
denn wir haben hie kei -
- chen, su - - - chen wir,
- chen wir, su - - chen wir,

Fl.
Ob.
Kl. in A.
Fg.
Hr. in C.
I. Vln. II.
Vla.
Sopr.
Alt.
Ten.
Baß.
Vcll.
K.B.
denn wir haben hie keine blei - - bende
ne, kei - ne blei - bende Statt, wir haben hie kei-ne blei-bende Statt kei-ne
denn wir haben hie kei - ne, kei - ne blei - bende, kei - ne blei - bende
denn wir haben hie keine blei - bende, blei - bende
dim.
dim. molto

30
Fl.
Kl. in A.
Fg.
I.
pp
Hr. in C.
Timp.
tr
arco
I.
Vln.
II.
a 2
Vla.
Bar. Solo.
Sie-he, ich sage euch ein Ge - heim - - -
Sopr.
Statt.
Alt
blei - - bende Statt.
Ten.
Statt.
Baß.
Statt.
Vcll.
K.B.
30
Org. c. Viol. e. Vle. e. B.

35
Picc.
pp
Fl.
pp
Ob.
pp
I. Solo
p
Kl. in A.
pp
I. Solo
p
Fg.
pp
Hr. in C.
Pk.
I.
Vln.
II.
pp
pp
Vla.
pp
Bar. Solo
nis:
Wir wer-den nicht al - le ent - schla - - - - -
Vcll.
pp
legato
K.B.
35
Org. tacet

40
Picc.
Fl.
Ob.
Kl. in A.
Fg.
Hr. in E.
I. Vln. II.
Vla.
Bar. Solo
Sopr.
Alt.
Ten.
Baß.
Vcll.
K.B.
fen,
Wir wer - den nicht al - - le ent - schla -
40 Org. c. B. t. s.

45
50
Picc.
Fl.
a 2
Ob.
I.
Kl. in A.
Fg.
Hr. in E.
I. Vln. II.
Vla.
Bar. Solo
wir wer - den a - ber al - le, al - le ver - wan - -
Sopr.
- - - fen,
Alt.
- - - fen,
Ten.
- - - fen,
Baß.
- - - fen,
Vcll.
K.B.
Org. tacet

I.
55
Ob.
Kl. in A.
I.
Vln.
II.
Vla.
Bar. Solo
delt, ver - wan - delt wer - - - - den,
Sopr.
wir wer - den a - ber al - le ver-
Alt.
wir wer - den a - ber al - le ver-
Ten.
wir wer - den a - ber al - le ver-
Baß.
wir wer - den a - ber al - le ver-
Vcll.
K.B.
pp
55
Org. c. B.t.s.

60
Picc.
a 2
Fl.
I.
Ob.
I.
Kl. in A.
I.u.II. muta in B
I.
Fg.
pp
I.
Vln.
II.
p
Vla.
p
Bar. Solo
und das-sel-bi-ge
Sopr.
wan - delt wer - - - - den;
Alt.
wan - delt wer - - - - den;
Ten.
wan - delt wer - - - - den;
Baß.
wan - delt wer - - - - den;
Vcll.
p
K.B.
60
Org. tacet

65
I.
Fl.
p
f
Ob.
f
Fg.
pp cresc.
f
Pos.
u.
Tuba.
fp accel. e cresc.
fp accel. e cresc.
Vl. I.
f
Vla.
cresc.
f
Bar.
Solo
accel. e cresc. poco
plötz-lich in ei - nem Au-gen-blick zu der Zeit der letz-ten Po-
Sopr.
f
zu der
Alt.
f
zu der
Ten.
Baß.
Vcll.
f
K.B.
f
65

70
75
Picc.
Fl.
Ob.
Kl. in B.
Fg.
in C.
Hr.
in E.
Trp. in C.
Pos. u. Tuba.
Pk.
I.
Vln.
II.
Vla.
Bar. Solo
Sopr.
Alt.
Ten.
Baß.
Vcll.
K.B.
a 2
in B
senza sord.
cresc.
sau-ne.
Zeit der letz-ten Po - sau - ne, der letz - ten Po - sau -
Zeit der letz-ten Po - sau - ne, der letz - ten Po - sau -
zu der Zeit der letz-ten, der letz - ten Po - sau -
zu der Zeit der letz - ten Po - sau -
Org. c.Vli., Vle. e B.

80

Picc.

Fl.

Ob.

Kl. in B.

Fg.

in C. Hr. in E.

Trp. in C.

Pos. u. Tuba.

Pk.

I. Vln. II.

Vla.

Sopr.

- - - ne.

Alt.

- - - ne.

Ten.

- - - ne.

Baß.

- - - ne.

Vcll.

K.B.

Org. tacet

80

Vivace.

85

Picc.

Fl.

a 2

Ob.

Kl. in B.

Fg.

Hr. in C.

Trp. in C.

Pos. u. Tuba.

Pk.

Vivace.

I. Vln. II.

Vla.

Sopr.

Denn es wird die Po - sau - ne schal - - - - len, und die

Alt.

Denn es wird die Po - sau - ne schal - - - - len, und die

Ten.

Denn es wird die Po - sau - ne schal - - - - len, und die

Baß.

Denn es wird die Po - sau - ne schal - - - - len, und die

Vcll.

K.B.

85 Org. c. coro

Org. tacet

90
Picc.
Fl.
Ob.
Kl. in B.
Fg.
in C.
Hr.
in E.
Trp. in C.
Pos. u. Tuba.
Pk.
I.
Vln.
II.
Vla.
Sopr.
Alt.
Ten.
Baß.
Vcll.
K. B.
To - ten wer - den auf - er - ste - - - - -
90
Org. c. coro e B.

95
Picc.
Fl.
Ob.
Kl. in B.
Fg.
in C. Hr. in E.
Trp. in C.
Pos. u. Tuba.
Pk.
I. Vln. II.
Vla.
Sopr.
hen un-ver - wes - - - - lich, un-ver - wes - - - - -
Alt.
hen un-ver - wes - - - - lich, un-ver - wes - - - - -
Ten.
hen un-ver - wes - - - - lich, un-ver - wes - - - - -
Baß.
hen un-ver - wes - - - - lich, un-ver - wes - - - - -
Vcll.
K.B.
95
Org. c. B. (coro) t.s.

100

Picc.
Fl.
Ob.
Kl. in B.
Fg.
Hr. in C.
Trp. in C.
Pos. u. Tuba.
Pk.
I. Vln. II.
Vla.
Sopr.
Alt.
Ten.
Baß.
Vcll.
K.B.

sf f tr

Sopr.: lich, und wir wer-den ver-wan-delt wer - - den.

Alt.: lich, und wir wer-den ver-wan-delt, ver-wan-delt wer - - den.

Ten.: lich, und wir wer-den ver-wan-delt, ver-wan-delt wer - - den.

Baß.: lich, und wir wer-den ver-wan-delt, ver-wan-delt wer - - den.

Org. tacet 100

105
110
Picc.
Fl.
Ob.
Kl. in B.
Fg.
Hr. in C.
Trp. in C.
Pos. u. Tuba.
Pk.
I. Vln. II.
Vla.
Bar. Solo
Dann, dann wird er-
Vcll.
K.B.
105
110

115
120
Picc.
Fl.
Ob.
Kl. in B.
Fg.
in C.
Hr.
in E.
Pk.
I.
Vln.
II.
Vla.
Bar. Solo
fül - let wer - - - den das Wort, das ge - schrie -
Vcll.
K. B.
115
120

125
Picc.
Fl.
Ob.
Kl. in B.
Fg.
in C.
Hr.
in E.
Trp. in C.
Pos. u. Tuba.
Pk.
I.
Vln.
II.
Vla.
Bar. Solo
- ben steht:
Vcll.
K.B.
cresc.
ff Org. c. coro e Pos
Org. tacet
125

130
Picc.
Fl.
Ob.
Kl. in B.
Fg.
Hr. in C.
Trp. in C.
Pos. u. Tuba.
Pk.
I. Vln. II.
Vla.
Sopr.
Der Tod ist ver-schlun-gen in den Sieg,
Alt.
Der Tod ist ver-schlun-gen in den Sieg,
Ten.
Der Tod ist ver-schlun-gen in den Sieg,
Baß.
Der Tod ist ver-schlun-gen in den Sieg,
Vcll.
K.B.
130
Org. c. coro, Trb. e. B.

135
Picc.
Fl.
Ob.
Kl. in B.
Fg.
in C.
Hr.
in E.
Trp. in C.
Pos. u. Tuba
Pk.
I.
Vln.
II.
Vla.
Sopr.
der Tod ist ver-schlun - gen in den Sieg,
Alt.
der Tod ist ver-schlun - gen in den Sieg,
Ten.
der Tod ist ver-schlun - gen in den Sieg,
Baß.
der Tod ist ver-schlun - gen in den Sieg,
Vcll.
K.B.
Org. tacet
135
Org. c. coro e B.

140
Picc.
Fl.
Ob.
Kl. in B.
Fg.
in C.
Hr.
in E.
Trp. in C.
Pos. u. Tuba.
Pk.
I.
Vln.
II.
Vla.
Sopr.
— in den Sieg, — in den Sieg,
Alt.
— in den Sieg, — in den Sieg,
Ten.
— in den Sieg, — in den Sieg,
Baß.
— in den Sieg, — in den Sieg,
Vcll.
K.B.
140
Org.c.B.(coro) t.s.

145
150
Picc.
Fl.
Ob.
Kl. in B.
Fg.
in C.
Hr.
in E.
Trp. in C.
Pos. u. Tuba
Pk.
I.
Vln.
II.
Vla.
Sopr.
ist ver-schlun-gen, ver-schlun - gen in den Sieg.
Alt.
ist ver-schlun-gen, ver-schlungen, ver - schlun-gen in den Sieg.
Ten.
ist ver-schlun-gen, ver - schlun-gen in den Sieg.
Baß.
ist ver-schlun-gen, ver-schlungen, ver - schlun-gen in den Sieg.
Vcll.
K. B.
145
Org. tacet
150

155
Picc.
Fl.
Ob.
Kl. in B.
Fg.
a 2
in C.
Hr.
in E.
Pos. u. Tuba
I. Vln. II.
Vla.
Sopr.
Tod, wo ist dein Sta - chel! Tod,
Alt.
Tod, wo ist dein Sta - chel! Tod,
Ten.
Tod, wo ist dein Sta - chel! Tod,
Baß.
Tod, wo ist dein Sta - chel! Tod,
Vcll.
K. B.
155

160
Picc.
Fl.
Ob.
Kl. in B.
Fg.
in C.
Hr.
in E.
a 2
Trp. in C.
Pos. u. Tuba
I.
Vln.
II.
Vla.
Sopr.
Tod, wo ist dein Sta - chel! Höl - - le, wo ist dein
Alt.
Tod, wo ist dein Sta - chel! Höl - - le, wo ist dein
Ten.
Tod, wo ist dein Sta - chel! Höl - - le, wo
Baß.
Tod, wo ist dein Sta - chel! Höl - - le, wo
Vcll.
K.B.
160

165
Fl.
Ob.
Kl. in B.
Fg.
in C.
Hr.
in E.
a 2
f
I.
Vln.
II.
Vla.
Sopr.
Sieg, ist dein Sieg, ist dein Sieg, Höl - le,
Alt.
Sieg, ist dein Sieg, ist dein Sieg, Höl - le,
Ten.
ist dein Sieg, ist dein Sieg, Höl - le,
Baß.
ist dein Sieg, ist dein Sieg, Höl - le,
Vcll.
K.B.
165

170
Picc.
Fl.
a 2
Ob.
a 2
Kl. in B.
Fg.
in C.
Hr.
in E.
a 2
Trp. in C.
Pk.
I.
Vln.
II.
Vla.
Sopr.
wo ist dein Sieg! Höl - le, wo
Alt.
wo ist dein Sieg! Höl - le, wo
Ten.
wo ist dein Sieg! Höl - le, wo ist dein
Baß.
wo ist dein Sieg! Höl - le, wo ist dein
Vcll.
K. B.
170
Org. c. timp. (tacet)

175
Fl.
Ob.
Kl. in B.
Fg.
I.II.
Hr. in C.
I. Vln. II.
Vla.
Sopr.
ist dein Sieg, ist dein Sieg, Höl - le, wo ist dein
Alt.
ist dein Sieg, ist dein Sieg, Höl - le, wo ist dein
Ten.
Sieg, ist dein Sieg, Höl - le, Höl - le, wo ist dein
Baß.
Sieg, ist dein Sieg, Höl - le, Höl - le, wo ist dein
Vcll.
K.B.
175

180
Picc.
Fl.
Ob.
Kl. in B.
Fg.
a 2
in C.
Hr.
in E.
Trp. in C.
Pos. u. Tuba
Pk.
I.
Vln.
II.
Vla.
Sopr.
Sieg!
Tod,
wo ist dein
Alt.
Sieg!
Tod,
wo ist dein
Ten.
Sieg!
Tod,
wo ist dein
Baß.
Sieg!
Tod,
wo ist dein
Vcll.
K. B.
Org. c. coro
180 Org. tacet

185
Picc.
Fl.
Ob.
Kl. in B.
Fg.
in C.
Hr.
in E.
a 2
Trp. in C.
a 2
Pos. u. Tuba
Pk.
I. Vln. II.
Vla.
Sopr.
Sta-chel! Höl - - le, wo, wo
Alt.
Sta-chel! Höl - - le, Höl - le,
Ten.
Sta-chel! Höl - - le, Höl - le,
Baß.
Sta- chel! Höl - - - le, Höl - le,
Vcll.
K. B.
185
Org. c. coro
tacet

190
Picc.
ff
a 2
Fl.
Ob.
Kl. in B.
Fg.
in C.
Hr.
in E.
a 2
Trp. in C.
Pos. u. Tuba
ff
Pk.
ff
I.
Vln.
II.
Vla.
Sopr.
ist dein Sieg! wo, wo,
Alt.
wo ist dein Sieg! wo, wo,
Ten.
wo ist dein Sieg! wo, wo,
Baß.
wo ist dein Sieg! wo, wo,
Vcll.
K. B.
190
Org. c. coro

195
200
Picc.
Fl.
Ob.
Kl. in B.
Fg.
in C.
Hr.
in E.
Trp. in C.
Pos. u. Tuba
Pk.
tr
ff
I.
Vln.
II.
Vla.
Sopr.
Alt.
Ten.
Baß.
wo,
Vcll.
K.B.
Org.tacet

205
Picc.
Fl.
Ob.
Kl. in B.
Fg.
in C.
Hr.
in E.
Trp. in C.
Pos. u. Tuba.
Pk.
tr
I.
Vln.
II.
Vla.
Sopr.
wo ist dein Sieg!
Alt.
wo ist dein Sieg!
Ten.
wo ist dein Sieg!
Baß.
wo ist dein Sieg!
Vcll.
K. B.
Org. col coro
205

Allegro.
210
Picc.
Fl.
Ob.
a 2
Kl. in B.
a 2
Fg.
in C.
Hr.
in E.
Trp. in C.
Pos. u. Tuba.
Pk.
Allegro.
I.
Vln.
II.
Vla.
Sopr.
Herr, du bist
Alt.
Herr, du bist wür - dig zu nehmen Preis und Eh - re und Kraft
Ten.
Baß.
Vcll.
K.B.
Org. tacet
210

a 2
215
Ob.
Fg.
a 2
Vln. I.
Vla.
Sopr.
würdig zu nehmen Preis und Ehre und Kraft,
Alt.
denn du hast alle Dinge erschaffen, und durch deinen
Ten.
Baß.
Herr, du bist
Vcll.
K. B.
215
(senza Org.)
a 2
220
Fg.
I.
Vln.
II.
Vla.
Sopr.
denn du hast alle Dinge erschaffen, und durch deinen
Alt.
Willen haben sie das Wesen und sind geschaffen,
Ten.
Herr, du bist
Baß.
würdig zu nehmen Preis und Ehre und Kraft,
Vcll.
K. B.
220

Fl.
Ob.
Hr. in C.
I.II.
Trp. in C.
Pk.
I. Vln. II.
Vla.
Sopr.
Wil-len ha - ben sie das We - sen und sind ge-schaf - fen,
Alt.
und sind geschaf - fen, ge - schaf - fen, Herr, du bist
Ten.
wür - dig zu neh - men Preis und Eh - re und Kraft,
Baß.
denn du hast al - le Din - ge er - schaf - - fen, und durch dei - nen
Vcll.
K.B.
Org.c.B.t.s.

225
Fl.
Ob.
I. II.
Hr. in C.
Trp. in C.
tr
Pk.
3
I. Vln. II.
Vla.
Sopr.
Herr, du bist wür - - dig zu
Alt.
wür - - dig zu neh - men Preis und Eh - - re und
Ten.
und durch dei - nen Wil - len ha - ben
Baß.
Wil - len ha - ben sie das We - - sen,
3
Vcll.
K. B.
225

230
Kl. in B.
a 2
Fg.
in C.
Hr.
in E.
a 2
Trp. in C.
a 2.
Pos. u. Tuba.
Pk.
I.
Vln.
II.
Vla.
Sopr.
neh-men Preis und Eh - re und Kraft, Herr, du bist
Alt.
Kraft, Herr, du bist wür - dig zu neh-men Preis,
Ten.
sie das We - sen, Herr, du bist wür - dig zu
Baß.
Herr, du bist wür - dig zu neh-men Preis und Eh - re, und
Vcll.
K. B.
230

a 2
235
Fl.
Ob.
Kl. in B.
Fg.
in C.
Hr.
in E.
Trp. in C.
Pos. u. Tuba.
Pk.
I.
Vln.
II.
Vla.
Sopr.
wür - - dig zu nehmen Preis und Eh - re,
Alt.
Preis und Eh - re, zu nehmen Preis und Eh - re,
Ten.
neh - - men Preis und Eh - re und Kraft, denn du hast
Baß.
Eh - re, und Eh - re und Kraft, denn du hast
Vcll.
K.B.
pizz.
Org. c. Pos. e B.
235
Org. tacet

Fg.
Hr. in C.
I. II.
Vl. II.
Vla.
Sopr.
Alt.
Ten.
Baß.
Vcll.
K. B.
und durch dei-nen Wil-len
al - - - le Din - ge er-schaf - fen,
al - le Din - ge er - schaf - fen,
240
I. Vln. II.
und sind ge - schaffen,
ha-ben sie das We - sen,
und sind ge-
und sind geschaffen,
arco
240

245
Fl.
a 2
Ob.
a 2
Kl. in B.
a 2
Fg.
I. II.
Hr. in C.
I.
Vln.
II.
Vla.
Sopr.
Herr, du bist wür - dig zu neh-men Preis und Eh - re und
Alt.
schaf - fen, denn du hast al - le Din - ge er - schaf - -
Ten.
durch deinen Wil - len ha - ben sie das We - sen und sind geschaf -
Baß.
und sind ge - schaf - fen,
Vcll.
K. B.
245

250
Fl.
Ob.
Kl. in B.
a 2
Fg.
Hr. in C.
I. II.
Trp. in C.
Pos. u. Tuba.
III.
Pk.
I. Vln. II.
Vla.
Sopr.
Kraft, zu nehmen Preis und
Alt.
fen, Herr, du bist wür - dig zu neh-men, zu nehmen Preis und
Ten.
fen, zu neh-men, zu nehmen Preis und
Baß.
Herr, du bist wür - dig zu neh-men, zu nehmen Preis und
Vcll.
K. B.
Org. B. t. s.
250

255
Fl.
Ob.
Kl. in B.
Fg.
in C.
Hr.
in E.
Trp. in C.
Pos. u. Tuba.
III.
Pk.
I.
Vla.
II.
Vla.
Sopr.
Eh-re, Preis und Eh-re, Preis und Eh - re, und Kraft, und Kraft, zu
Alt.
Eh-re, Preis und Eh-re, Preis und Eh - re, und Kraft, — und Kraft, zu
Ten.
Eh-re, Preis und Eh-re, Preis und Eh - re, und Eh - re und Kraft, zu
Baß.
Eh-re, Preis und Eh-re, Preis und Eh - re, und Eh - re und Kraft,
Vcll.
K. B.
Org. c. Vli., Vlc. e B.
255
Org. tacet

260
Fl.
Ob.
Kl. in B.
a 2
Fg.
in C.
Hr.
in E.
Trp. in C.
f
III.
Pos.
tr
Pk.
f
I.
Vln.
II.
Vla.
Sopr.
neh-men Preis und Eh - re und Kraft, zu
Alt.
neh-men Preis und Eh - re und Kraft, zu
Ten.
neh-men Preis und Eh - re und Kraft, zu
Baß.
Herr, du bist wür - dig zu neh-men Preis und Eh-re, zu
Vcll.
K. B.
260

265
Fl.
Ob.
Kl. in B.
Fg.
in C.
Hr.
in E.
Trp. in C.
Pos.
Pk.
I.
Vln.
II.
Vla.
Sopr.
Alt.
Ten.
Baß.
Vcll.
K. B.
a 2
III.
nehmen Preis und Eh-re, zu neh-men Preis und Eh - re und Kraft, und
nehmen Preis und Eh-re, zu neh-men Preis und Eh - re und Kraft, und
nehmen Preis und Eh-re, zu neh-men Preis und Eh - re, und Eh - re und
nehmen Preis und Eh-re, zu neh-men Preis und Eh - re, und Eh - re und
265

Fl.
Ob.
Kl. in B.
Fg.
in C. Hr. in E.
Trp. in C.
Pos.
Pk.
I. Vln. II.
Vla.
Sopr.
Kraft, zu neh-men Preis und Eh - re,
Alt.
Kraft, zu
Ten.
Kraft, zu neh - men Preis und
Baß.
Kraft, zu neh-men Preis und Eh - re,
Vcll.
K.B.

270
I.
a 2
Fl.
Ob.
Kl. in B.
Fg.
cresc.
Hr. in E.
III.
Pos.
I.
Vln.
II.
Vla.
Sopr.
Herr, du bist wür - dig zu nehmen Preis und
Alt.
nehmen Preis und Eh - re und Kraft, Herr, du bist wür - dig zu
Ten.
Eh - re, durch deinen Wil - len ha - ben sie das We - sen,
Baß.
Herr, du bist
Vcll.
K. B.
270

Fl. a 2

Ob. a 2

Kl. in B. a 2

Fg. a 2

Hr. in C. *f*

Hr. in E. III.

Trp. in C. *f*

Pos. u. Tuba. II. *f* I. II. III. *fz*

Pk. *f*

Vln. I.

Vln. II.

Vla.

Sopr.: Eh - re und Kraft, zu

Alt.: neh - men Preis und Eh - re und Kraft, zu

Ten.: *f* Herr, du bist wür - dig zu neh - men Preis und Eh - re, zu

Baß.: wür - dig, *f* Herr, du bist wür - dig zu nehmen Preis und

Vcll. *fz*

K. B. *fz*

280

Fl.

Ob.

Kl. in B.

Fg.

Hr. in C. / in E.

Trp. in C. — a 2

Pos. u. Tuba. — II. / III. — *fz* *fz* — *f marc.* — Tuba *f marc.*

Pk.

Vln. I. / II.

Vla.

Sopr.: neh-men Preis und Eh - re, zu neh - men Preis, zu neh - men Preis und

Alt.: neh-men Preis und Eh - re, zu neh - men Preis, zu neh - men Preis und

Ten.: neh-men Preis und Eh - re, zu neh - men Preis, zu neh - men Preis und

Baß.: Eh - re, zu neh - men Preis und Eh - re, zu neh - men Preis und

Vcll. — *sf* *sf* — *f marc.*

K. B. — *sf* *sf* — *f marc.*

280

285
Fl.
Ob.
Kl. in B.
Fg.
a 2
f
Hr. in C.
Trp. in C.
II.
I. II.
a 2
Pos. u. Tuba.
III.
a 2
Tuba
Pk.
I.
Vln.
II.
Vla.
Sopr.
Eh - - - - - - - - - re,
Alt.
Eh - - - - - - - - - - re, zu
Ten.
Eh - - - - - re, zu neh - men
Baß.
Eh - - - - - - - re, zu neh - men Preis,
Vcll.
K. B.
285

290

Fl. a 2 *f marcato* *ff*

Ob. a 2 *f marcato* *ff*

Kl. in B. a 2 *ff* *p*

Fg. a 2 *ff* *p*

Hr. in C. *ff*

Hr. in E. a 2 *ff* *p*

Trp. in C. *f* *ff*

Pos. u. Tuba. a 2 a 2 *ff* *ff*

Pk. *ff* *tr* *p*

I. Vln. *f* *ff*

II. Vln. *ff*

Vla. *ff* *p*

Sopr. *f* zu neh-men Preis und Eh - re und *ff* Kraft, —

Alt. nehmen Preis, zu neh-men Preis und Eh - re und *ff* Kraft, —

Ten. Preis, zu neh-men Preis und Eh - re und *ff* Kraft, — *p espress.* denn

Baß. zu neh-men Preis und Eh - re und *ff* Kraft, —

Vcll. *ff* *fp*

K. B. *ff*

Org. c. Coro

290

Fl.
Ob.
Kl. in B.
Fg.
in C.
Hr.
in E.
I.
Vln.
II.
Vla.
Sopr.
Alt.
Ten.
Baß.
Vcll.
K.B.
p
I.
a 2
denn
denn
du hast al - le Din - ge er - schaf - fen,
pizz.

295
Fl.
I.
Ob.
Kl. in B.
Fg.
Hr. in C.
I.
Vln.
II.
Vla.
Sopr.
du hast al - le Din - ge er - schaf - fen,
Alt.
du hast al - le Din - ge er-schaf - fen, und durch
Ten.
al - le Din - ge er - schaf - fen, und durch dei - nen
Baß.
Vcll.
K.B.
295

300
Fl.
cresc.
Ob.
I.
cresc.
Kl. in B.
cresc.
Fg.
cresc.
Hr. in C.
I.
cresc.
I.
Vln.
II.
cresc.
cresc.
Vla.
cresc.
Sopr.
cresc.
und durch dei - nen Wil - len ha - ben sie das We - sen
Alt.
cresc.
dei - nen Wil - len ha - ben sie das We - sen
Ten.
cresc.
Wil - len ha - ben sie das We - sen, das We - sen
Baß.
Vcll.
cresc.
arco
K. B.
cresc.
300

305
Fl.
Ob.
Kl. in B.
Fg.
Hr. in C.
Trp. in C.
III.
Pos.
Pk.
I.
Vln.
II.
Vla.
Sopr.
und— sind ge - schaf - fen,
Alt.
und sind ge - schaf - fen, Herr, du bist
Ten.
und— sind ge - schaf - fen, Herr, du bist wür - dig zu
Baß.
Herr, du bist wür - dig zu neh-men Preis und
Vcll.
K.B.
305

310

a 2

Fl.

Ob.

Kl. in B.

a 2

Fg.

a 2

Pos. u. Tuba

III.

fz

fz

f

a 2

f

f

I. Vln. II.

Vla.

Sopr.

f

Herr, du bist wür - dig zu neh - men Preis und

Alt.

wür - dig zu neh - men, zu neh - men Preis und

Ten.

neh - men Preis und Eh - - - re und Kraft,

Baß.

Eh - re, Eh - re und Kraft, zu

Vcll.

fz

fz

marc.

K.B.

fz

fz

marc.

310

Fl.
Ob.
Kl. in B.
Fg.
in C.
Hr.
in E.
Trp. in C.
Pos. u. Tuba.
Pk.
I.
Vln.
II.
Vla.
Sopr.
Eh - - re, zu neh-men Preis und Eh - re und
Alt.
Eh - re, zu neh-men Preis, Preis und Eh - - re und
Ten.
zu neh-men Preis, Preis, Preis und Eh - - re und
Baß.
neh-men Preis, zu neh-men Preis und Eh - - re und
Vcll.
K. B.
Org. c. coro

315
320
Fl.
Ob.
Kl. in B.
Fg.
a 2
in C.
Hr.
in E.
Trp. in C.
Pos. u. Tuba.
a 2
Pk.
I. Vln.
II.
Vla.
Sopr.
Alt.
Ten.
Baß.
Vcll.
K. B.
I.
ff
p
p espress.
pizz.
Kraft,
denn
Kraft, denn du hast al - le Din - ge, al - le
Kraft, denn du hast al - le
Kraft,
denn
315 e B.
Org. tacet
320

325
Fl.
Ob.
Kl. in B.
Fg.
Hr. in C.
I.
Vln.
II.
Vla.
Sopr.
Alt.
Ten.
Baß
Vcll.
K.B.
cresc.
du hast al - le Din - ge er - schaf - fen, und durch dei-nen
Din - ge er - schaf - fen, und durch dei - nen
al - le Din - ge er - schaf - fen, und durch dei-nen Wil - len
du hast al - le Din - ge er - schaf - fen, und durch
325

Fl.
Ob.
Kl. in B.
Fg.
Hr. in E.
Trp. in C.
Pos.
Pk.
I. Vln. II.
Vla.
Sopr.
Alt.
Ten.
Baß.
Vcll.
K.B.
I.
III.
f
arco
Wil - len ha-ben sie das We - sen und sind ge -
Wil-len ha-ben sie das We - sen und sind ge -
ha-ben sie das We - sen, das We - sen und sind ge -
dei - nen Wil-len ha-ben sie das We - sen,

330
335
Fl.
Ob.
Kl. in B.
Fg.
in C.
Hr.
in E.
Trp. in C.
Pos.
Pk.
I
Vln.
II
Vla.
Sopr.
schaf-fen, Herr, du bist wür - dig, Herr, du bist wür -
Alt.
schaf-fen, Herr, du bist wür - dig, Herr, du bist wür - dig, Herr,
Ten.
schaf-fen, Herr, du bist wür - dig, zu neh - men, Herr, du bist wür - dig,
Baß.
Herr, du bist wür-dig, Herr, du bist wür - dig, Herr, du bist
Vcll.
K.B.
330
335

340
Fl.
Ob.
Kl. in B.
Fg.
in C. Hr. in E.
Trp. in C.
Pos.
Pk.
I. Vln. II.
Vla.
Sopr.
Alt.
Ten.
Baß.
Vcll.
K.B.
a 2
III.
dig, Herr, du bist wür - dig zu neh-men Preis und Eh - -
du bist wür - dig, bist wür-dig zu neh-men Preis und Eh - -
Herr, du bist wür - dig, wür-dig zu neh-men Preis und Eh - -
wür - dig, Herr, du bist wür-dig zu neh-men Preis und Eh - -
Org. c. coro
340
Org. tacet

345
Fl.
Ob.
a 2
Kl. in B.
Fg.
in C. Hr. in E.
Trp. in C.
Pos.
III.
Pk.
ppp
I. Vln. II.
Vla.
Sopr.
re und Kraft, zu neh-men Preis und Eh - - re und Kraft.
Alt.
re und Kraft, zu neh-men Preis und Eh - - - re und Kraft.
Ten.
re und Kraft, zu neh-men Preis und Eh - - re und Kraft.
Baß.
re und Kraft, zu neh-men Preis und Eh - - re und Kraft.
Vcll.
K. B.
345

VII.

Feierlich.
2 Flöten.
2 Oboen.
a 2
2 Klarinetten in B.
2 Fagotte.
2 Hörner in F.
2 Hörner in E.
3 Posaunen.
Harfe.
Feierlich.
Violine I.
Violine II.
Viola
Sopran.
Se - - - - lig sind die To - -
Alt.
Tenor.
Baß.
Violoncello
Kontrabaß.
Org. c.B.t.s.

5
Fl.
a 2
Ob.
Kl. in B.
Fg.
Hr. in F.
I.
Vln.
II.
Vla.
Sopr.
ten, die in dem Her-ren ster - - ben von nun an, von nun
Alt.
Ten.
Baß.
Vcll.
K.B.
5
Org. c. B. t. s.

10
Fl.
Ob.
Kl. in B.
Fg.
a 2
in F.
Hr.
in E.
I.
I.
Vln.
II.
Vla.
Sopr.
an,
Alt.
Ten.
Baß.
Se - - - - - lig sind die To - ten, die in dem Her - ren ster -
Vcll.
K. B.
10
Org. tacet

Fl.
Ob.
Kl. in B.
a 2
Fg.
I.
Hr. in E.
I.
Vln.
II.
Vla.
Sopr.
se - lig sind die
Alt.
Se - lig, se - lig
Ten.
Se - - lig,
Baß.
- - - ben von nun an, von nun an, se - lig,
Vcll.
K.B.
Org. c. B. t. s.

20
Fl.
Ob.
Kl. in B.
a 2
Fg.
Hr. in F.
I.
f
I. Vln. II.
Vla.
Sopr.
To - ten, se - - lig, se - lig sind die
Alt.
sind die To - ten, se - lig, se - lig, sind die
Ten.
se - lig, se - lig sind die To - ten, sind die
Baß.
se - lig, se - lig sind die To - ten, die To - ten,
Vcll.
K.B.
20

25
Fl.
Ob.
Kl. in B.
Fg.
Hr. in F.
I. Vln. II.
Vla.
Sopr.
To - ten, die To - ten, die in dem Her - ren ster - ben,
Alt.
To - ten, die To - ten, die in dem Her - ren ster - ben,
Ten.
To - ten, die To - ten, die in dem Her - ren ster - ben,
Baß.
se - lig, se - lig sind die To - ten, die in dem
Vcll.
K. B.
25

30
Fl.
dimin.
Ob.
dimin.
Kl. in B.
dimin.
Fg.
dimin.
Hr. in F.
I.
Vln.
II.
dimin.
p
dimin.
p
Vla.
dimin.
p
Sopr.
dimin.
p
die in dem Her - ren ster - - ben von nun
Alt.
dimin.
p
in dem Her - ren ster - - ben von nun
Ten.
dimin.
p
in dem Her - ren ster - - ben von nun
Baß.
dimin.
p
Her - - ren ster - - ben von nun
Vcll.
dimin.
p
K.B.
dimin.
p
Org. tacet
30
Org. c. coro

35
a 2
Fl.
Ob.
Kl. in B.
Fg.
Hr. in F.
I. Vln. II.
Vla.
Sopr.
Alt.
Ten.
Baß.
Vcll.
K.B.
mf
an.
Org. c. B. t. s.
35

40
Fl.
Ob.
Kl. in B.
a 2
Fg.
in F.
Hr.
in E.
Pos.
pizz.
I.
Vln.
II.
Vla.
Sopr.
Alt.
Ja der Geist spricht,
Ten.
Ja der Geist spricht, daß sie ru -
Baß.
Ja der Geist spricht, daß sie ru -
Vcll.
K.B.
Org.tacet
40

45
Fl.
Ob.
Kl. in B.
Fg.
Hr. in E.
Pos.
I.
Vln.
II.
Vla.
Sopr.
Alt.
Ten.
Baß.
Vcll.
K. B.
I.
p espress.
II.
III.
p
arco
espress.
Daß
hen von ih - rer Ar - beit,
daß sie
Org. c. B. t. s.

50
Fl.
Ob.
Kl. in B.
II.
Fg.
Hr. in E.
I.
Vln.
II.
Vla.
Sopr.
sie ru - hen von ih - rer Ar - - beit;
p espress.
Alt.
daß sie ru - hen von ih - rer Ar - beit;
Ten.
ru - - hen von ih - rer Ar - beit;
p espress.
Baß.
daß sie ru - hen von ih - rer Ar - beit;
Vcll.
K.B.
50

55
Fl.
Ob.
Kl. in B.
Fg.
Hr. in E.
I. Vln. II.
Vla.
Sopr.
Alt.
Ten.
Baß.
Vcll.
K.B.
I.
p espr.
p espress.
pp
mf
denn ih - re Wer - ke fol - gen ih-nen nach;
denn ih-re Wer - ke fol-gen ih - nen nach;
denn ih-re Wer - ke fol - gen ih - nen nach;
pizz.
Org. tacet
55

60
I.
Fl.
I.
Ob.
Hr. in E.
I. Vln. II.
6
Vla.
p espress.
Sopr.
daß sie ru - hen von ih - - rer Ar - - beit;
Alt.
daß sie ru - - hen von ih - - rer
Ten.
daß sie ru - - hen von ih - - rer
Baß.
daß sie ru - - hen von ih - - rer
Vcll.
K. B.
60
65
I. Vln. II.
Vla.
Sopr.
denn ih - - - re Wer - - ke
Alt.
Ar - - beit; denn ih - - re Wer - - ke
Ten.
Ar - - beit; denn ih - - re Wer - - ke
Baß.
Ar - - beit; denn ih - - re Wer - - - - ke
Vcll.
K. B.
65

70
I.
Fl.
mf
I.
Ob.
mf
a 2
Kl.
in B.
mf
a 2
Fg.
pp
mf
in F.
Hr.
in E.
pp
mf
mf
I.
Vln.
II.
pp
mf
mf
Vla.
pp
3
3
3
3
mf
dolce
Sopr.
fol - - - - gen ih - - - - nen nach,
dolce
Alt.
fol - - - - gen fol - gen ih - - nen nach,
dolce
Ten.
fol - - - - gen, fol - gen ih - - nen nach,
dolce
Baß.
fol - - - - gen ih - - - - - nen nach,
mf
Vcll.
K.B.
mf
70

I.
75
Fl.
Ob.
Kl.
in B.
a 2
Fg.
in F.
Hr.
in E.
I.
Vln.
II.
dimin.
pp
Vla.
Sopr.
fol - gen ih - nen nach.
Alt.
fol - gen ih - nen nach.
Ten.
fol - gen ih - nen nach.
Baß.
fol - gen ih - nen nach.
Vcll.
K.B.
arco
Org. c. B. t. s.
75

80

Fl. I. *p espress.*

Ob. I. *p espress.*

Kl. in B. *pp*

Fg.

Hr. in E. *pp*

Pos. *pp*

Vla.

Sopr. *p dolce* daß sie ru - - hen,

Alt. *p dolce* Ja der Geist spricht, daß sie ru - - hen,

Ten. *p dolce* daß sie ru - - hen,

Baß. *p dolce* Ja der Geist spricht, *pp* ja der Geist

Vcll.

K.B.

Org. tacet

80

85
Fl.
Ob.
Kl. in B.
Fg.
in F. Hr. in E.
Pos.
I. Vln. II.
Vla.
Sopr.
daß sie ru - - hen, daß sie
Alt.
daß sie ru - - hen, daß sie
Ten.
p espress.
daß
Baß.
p espress.
spricht,
daß
Vcll.
K. B.
85

90
Fl.
Ob.
Kl. in B.
Fg.
dimin.
Hr. in F.
I.
Vln.
II.
Vla.
Sopr.
ru - - - - hen von ih - rer Ar -
Alt.
ru - - - - hen von ih - - rer
Ten.
sie ru - - hen von ih - rer Ar -
Baß.
sie ru - - hen von ih - - rer
Vcll.
K.B.
p
Org. c. B. t. s.
90

95
Fg.
I. Vln. II.
Vla.
Sopr.
- beit;
denn ih - re Wer - ke, ih - re Wer-
Alt.
Ar - - beit;
denn ih-re Wer - ke, denn ih-re Wer-
Ten.
- - beit;
denn ih-re Wer - ke, denn ih-re Wer-
Baß.
Ar - beit;
denn ih-re Wer - ke, denn ih-re Wer -
Vcll.
K. B.
Org. tacet
95
I.
Fl.
p espress.
I.
Ob.
p espress.
100
cresc.
pp
cresc.
pp
cresc.
Vla.
pp
dolce
p
ke fol - gen, fol - gen ih - nen nach.
dolce
ke fol - gen, fol-gen ih-nen nach.
dolce
p
ke fol - gen, fol-gen ih - nen nach.
dolce
p
ke fol - gen, fol-gen ih-nen nach.
pizz.
cresc.
100

105

Fl.
Ob.
Kl. in B.
Hr. in F.
I. Vln. II.
Vla.
Ten.
Vcll.
K.B.

f

Se - - - - - lig sind die To - - ten, die in dem

arco

Org. B.t.s. 105 Org. tacet

110

Fl.
Kl. in B.
Hr. in F.
I. Vln. II.
Vla.
Ten.
Vcll.
K.B.

Her-ren ster - - - ben von nun an, von nun

110

115
Fl.
Ob.
I.
Kl. in B.
Fg.
I. Vln. II.
Vla.
Sopr.
Se - lig, se-lig sind die To - ten, se - lig, se - lig sind die To -
Alt.
Se - lig, se-lig sind die To - ten, die in dem Her - ren
Ten.
an, se - lig sind die To - ten, die in dem Her-ren ster -
Baß.
Se - lig, se - lig, se - lig sind die To - ten,
Vcll.
K.B.
Org. c.B.t.s.
115

120
Fl.
Ob.
Kl. in B.
Fg.
Hr. in F.
f
I.
Vln.
II.
Vla.
Sopr.
- ten, die To - ten, die in dem Her - ren ster - ben,
Alt.
ster - ben, die To - ten, die in dem Her - ren ster - ben,
Ten.
- ben, die To - ten, die in dem Her - ren ster - ben,
Baß.
se - lig sind die To - ten, die in dem Her - ren,
Vcll.
K.B.
120

125
Fl.
Ob.
Kl. in B.
Fg.
Hr. in F.
I. Vln. II.
Vla.
Sopr.
Alt.
Ten.
Baß.
Vcll.
K.B.
dimin.
p
die in dem Her - ren ster - - - ben von nun
die in dem Her - ren ster - - - ben von nun
die in dem Her - ren ster - - - ben von nun
in dem Her - ren ster - - - ben von nun
Org. c. coro
125

130

Fl. *mf* a 2

Ob. *mf*

Kl. in B. *mf*

Fg. *mf* a 2 *cresc.*

Hr. in F. *mf* *cresc.*

Pos. *mf cresc.*

I. Vln. II. *mf* *cresc.* *mf* *cresc.*

Vla. *mf* *cresc.*

Sopr. an. *cresc.* Selig sind die To -

Alt. an. *cresc.* Se - lig sind die To -

Ten. an. *cresc.* Se-lig sind die To -

Baß. an. *cresc.* Selig sind die To -

Vcll. *mf* *cresc.*

K.B. *mf* Org. c. B. t. s. *cresc.* Org. c. coro e B.

130

135

Fl. *p espress.* I.

Ob. *p espress.* I.

Kl. in B. *f* I. *p*

Fg. *f*

Hr. in F. I. *p* *p*

Pos. *f*

I. Vln. *f* *pp*

II. Vln. *f* *pp*

Vla. *f* *pp*

Sopr. ten, *p* se - lig sind,

Alt. *p* ten, se - lig sind die To - ten, *p* se - lig sind die

Ten. ten, *p* die — in dem Herrn ster - ben, se - - lig,

Baß. ten, *p* se - lig sind die

Vcll. *f* *pp*

K.B. *f*

Org. tacet

135

I.
140
a 2
Fl.
cresc.
Ob.
Kl.
in B.
pp
Fg.
p cresc.
in F.
Hr.
in E.
mf
Pos.
mf cresc.
I.
Vln.
II.
Vla.
Sopr.
se - lig sind die To - ten, die To - ten, se - lig
Alt.
To - ten, se - lig sind die To - ten, se - lig
Ten.
se - lig sind die To - ten, die To - ten, se - lig
Baß.
To - ten, sind die To - ten, sind die To - ten,
Vcll.
K.B.
Org. c. B. t. s.
Org. c. Pos.
Org. tacet

I.
145
150
a 2
Fl.
p espress.
Ob.
p
Kl. in B.
Fg.
in F.
Hr.
in E.
Pos.
pp
I.
Vln.
II.
Vla.
Sopr.
sind,
se - lig
sind,
Alt.
se - lig
sind die
To - ten,
Ten.
die in dem
Baß.
Vcll.
K.B.

155
a 2
Fl.
p cresc.
Ob.
p cresc.
Kl. in B.
a 2
p
cresc.
Fg.
I.
p
I.
cresc.
Hr. in F.
p
cresc.
I.
Vln.
II.
p
cresc.
p
cresc.
Vla.
p
cresc.
Sopr.
p cresc.
se - lig sind die To - ten, die in dem
Alt.
p cresc.
se - lig sind,
cresc.
se - lig
Ten.
Herrn ster - ben, se - lig sind,
cresc.
se - lig sind die To -
Baß.
p
se - lig sind,
cresc.
sind die
Vcll.
p
cresc.
K.B.
155

160
Fl.
dimin.
Ob.
Kl. in B.
Fg.
Hr. in F.
II.
Pos.
Hfe.
I. Vln. II.
pizz.
Vla.
Sopr.
Her - - - ren, dem Her - ren ster -
Alt.
sind die To - - ten, die in dem Herren ster -
Ten.
ten, die in dem Her - - ren, dem Her - ren ster - -
Baß.
To - ten, die in dem Her - ren ster - -
Vcll.
K.B.
Org.c.B.e coro
Org.tacet

165
Fl.
Ob.
Kl. in B.
Fg.
Hr. in F.
Pos.
Hfe.
I. Vln. II.
Vla.
Sopr.
ben, se - lig, se - - lig.
Alt.
ben, se - lig, se - - lig.
Ten.
ben, se - lig, se - - - lig.
Baß.
ben, se - lig, se - - - - lig.
Vcll.
K.B.
165